A POETA X

ELIZABETH ACEVEDO

A POETA X

Tradução de
Giu Alonso

1ª edição

Galera
RIO DE JANEIRO
2018

CIP-BRASIL. CATALOGAÇÃO NA PUBLICAÇÃO
SINDICATO NACIONAL DOS EDITORES DE LIVROS, RJ

Acevedo, Elizabeth
A159p A poeta X / Elizabeth Acevedo; tradução de Giu Alonso. – 1ª ed. – Rio de Janeiro: Galera Record, 2018.

Tradução de: The poet X
ISBN 978-85-01-11511-9

1. Poesia americana. I. Alonso, Giu. II. Título.

18-50049 CDD: 811
CDU: 82-1(73)

Meri Gleice Rodrigues de Souza – Bibliotecária CRB-7/6439

Título original:
The poet X

Design de capa de Erin Fitzsimmons
Arte de capa de Gabriel Moreno

Texto revisado segundo o novo Acordo Ortográfico da Língua Portuguesa.

Direitos exclusivos de publicação em língua portuguesa somente para o Brasil adquiridos pela
EDITORA RECORD LTDA.
Rua Argentina, 171 – Rio de Janeiro, RJ – 20921-380 – Tel.: (21) 2585-2000,
que se reserva a propriedade literária desta tradução.

Impresso no Brasil

ISBN 978-85-01-11511-9

Para meus antigos alunos da
Buck Lodge Middle School,
e para todas as irmãzinhas que anseiam por se ver
representadas: este é pra vocês.

Parte I

No princípio

Havia o mundo

Sexta-feira, 24 de agosto

Sentando na calçada

O verão existe para se sentar na calçada
e a uma semana do começo das aulas,
o Harlem abre os olhos pra setembro.

Eu observo o quarteirão que sempre chamei de lar.

Vejo as velhinhas da igreja, chinelas estapeando a calçada,
suas bocas desatando carretas de espanhol caribenho
espalhando seus disse me disse.

Espio Papote da rua de baixo
abrindo o hidrante
e as crianças correm pelo veio d'água.

Ouço os táxis piratas buzinando, *bachata* a todo volume
vazando das janelas abertas,
competindo com os ecos do basquete no Little Park.

Risos dos *viejos* — não do meu pai —
finalizando partidas de dominó com tapas
e gritos de "*Capicu!*"

Balanço a cabeça quando até os traficantes a postos perto do
prédio
sorriem mais no verão, as caras feias se amaciando
em olhares grudentos para

as garotas em vestidos frescos e shorts:

— *Ayo*, Xiomara, você tem que usar uns vestidos assim!
— Porra, te casariam antes do fim das férias.
— Até porque todo mundo sabe que as carolas são as mais putas.

Mas eu ignoro as provocações, aproveito o finzinho da liberdade,
e espero as longas sombras me dizerem
quando Mami está para chegar do trabalho,

quando está na hora de subir às escondidas.

Inescondível

Eu sou inescondível.

Mais alta até que meu pai, com o que Mami sempre chamou de
"corpo demais para uma menina tão nova".
Eu sou o bebê com muitas dobrinhas agora assentadas em
peitos grandes demais e quadris ondulantes,
então os meninos que me chamavam de baleia no quarto ano
agora me pedem fotos de biquíni.

Outras meninas me chamam de metida. Puta. Dada.
Quando seu corpo ocupa mais espaço do que sua voz
você é sempre alvo de boatos certeiros,
e é por isso que deixo meus punhos falarem por mim.
E é por isso que aprendi a não ligar quando meu nome dá lugar
a insultos.

Forcei minha casca a ser tão grossa quanto eu.

Mira, muchacha

É o jeito preferido da Mami de começar uma frase,
e eu sei que já fiz alguma coisa errada
quando ela me vem com isso: "Olha, garota..."

Desta vez é "*Mira, muchacha*, a Marina do prédio em frente
me falou que você estava na calçada de novo falando com *los vendedores*."

Como sempre, eu mordo a língua e não corrijo,
porque eu não estava falando com os traficantes;
eles estavam falando comigo. Mas ela diz que não
quer papo entre eu e *aqueles* garotos,
ou qualquer garoto, e é melhor que ela não fique sabendo que estou pendurada
como uma camiseta molhada no varal só esperando para ser usada
ou ela mesma vai torcer meu pescoço.

"*Oíste*?", ela pergunta, mas vai embora antes da minha resposta.

Às vezes eu queria dizer para ela que a única pessoa nesta casa
que ninguém escuta   sou eu.

Nomes

Eu sou a única na família
que não tem um nome bíblico.
Merda, Xiomara não é nem dominicano.

Eu sei porque eu procurei.
Quer dizer: a que está pronta para a guerra.

E, verdade seja dita, essa descrição é bem certeira
porque eu até tentei vir ao mundo
pronta para a briga: com o pé na porta.

Tiveram que abrir a barriga da Mami
depois que ela pariu
meu irmão gêmeo, Xavier, sem problema.
E meu nome para algumas bocas
é igualmente difícil e doloroso de falar.

Até que eu devagar diga:
Si-o-MA-ra.
Eu aprendi a não tremer no primeiro dia de aula
quando os professores engasgam como idiotas tentando acertar.

Mami diz que achava que era nome de santa.
Me deu esse presente de guerra e agora reclama
do quanto eu honro o que me deu.

Meus pais deviam querer uma menina sentadinha na igreja
vestindo roupas florais e com um sorriso doce.
Ganharam coturnos e uma boca fechada
Até se provar afiada como um machete.

As primeiras palavras

Pero, tú no eres fácil

é uma frase que ouvi a vida toda.
Quando chego em casa com os dedos ensanguentados:

Pero, tú no eres fácil.

Quando não lavo a louça rápido o bastante,
ou quando esqueço de esfregar a banheira:

Pero, tú no eres fácil.

Às vezes é para coisas boas,
quando vou bem numa prova ou nas raras vezes em que ganho
um prêmio:

Pero, tú no eres fácil.

Quando a gravidez da Mami foi complicada,
e foi tudo por minha causa,

porque eu estava virada
e eles acharam que eu ia morrer

ou pior,
que eu ia matá-la,

então fizeram um grupo de orações na igreja,
e até o padre Sean apareceu na emergência,

o padre Sean, que segurou a mão da minha mãe
enquanto ela me paria para o mundo,

e o Papi nervoso atrás da médica,
que dizia que aquele era o parto mais difícil que já tinha feito

mas em vez de morrer eu saí gritando,
balançando meus pequenos punhos,

e a primeira coisa que Papi disse,
as primeiras palavras que ouvi na vida,

"Pero, tú no eres fácil."
Você não é nada fácil.

Mami trabalha

Limpando um escritório no Queens.
Pega dois trens de manhã cedo
para chegar ao prédio às oito.
Ela trabalha varrendo, limpando,
esvaziando o lixo, e sendo invisível.
Suas mãos nunca param de se mexer, ela diz.
Os dedos esfregando as luvas de plástico
como as páginas da sua Bíblia gasta.

Mami pega o trem de volta de tarde,
outra hora e meia para chegar ao Harlem.
Ela diz que passa o tempo lendo versículos,
se preparando para a missa da noite,
e eu sei que ela não está mentindo, mas se fosse eu,
eu encostaria a cabeça na parede de metal do trem,
apertaria bem a bolsa junto ao colo, fecharia os olhos
com o balanço, e tentaria muito sonhar.

Terça-feira, 28 de agosto

Aula de crisma

Mami quer que eu faça o sacramento de confirmação
já faz três anos.

Da primeira vez, no oitavo ano, a turma encheu
antes que a gente conseguisse se inscrever, e mesmo com toda a
sua influência divina

Mami não conseguiu vaga para o Gêmeo e eu.
O padre Sean falou que não teria problema esperar.

Ano passado, Caridad, minha melhor amiga, ainda estava na
R.D.*
bem quando a gente ia começar as aulas,

então eu pedi para esperar mais um ano.
Mami não gostou, mas ela é amiga da mãe de Caridad

Então o Gêmeo fez a aula sem mim.

Este ano, Mami preencheu os formulários,
me inscreveu e me carregou para a igreja

antes que eu conseguisse dizer que Jesus é como um amigo
que tive a infância toda
que de repente parece diferente;
que aparece demais lá em casa, que me liga muito.

---

* República Dominicana.

Um amigo de quem não acho que precise mais.
(Eu sei, eu sei... até escrever isso é uma blasfêmia.)

Mas não sei como dizer para Mami que este ano
não é que não me sinta pronta,
é que eu sei que essa dúvida já foi confirmada.

Deus

Não tem só uma coisa
que me faça questionar
o tal D.E.U.S. com maiúsculas.

Uma santíssima trindade
que não inclui a mãe.
São todas as coisas.

Só parece que eu cresci
e comecei a perceber
o jeito como a igreja

trata diferente uma menina como eu.
Às vezes parece
que tudo o que importa em mim está debaixo
da minha saia

e não entre as minhas orelhas.
Às vezes eu acho
que oferecer a outra face

pode fazer alguém como meu irmão morrer.
Às vezes eu acho que
minha vida seria mais fácil

se eu não sentisse uma dívida tão grande
com um Deus
que não parece muito

estar por aí preocupado comigo.

"Mami", eu digo na volta para casa

As palavras pesam na minha barriga,
e eu uso meus nervos
como cordas para erguê-las
até minha boca.

— Mami, e se eu não
fizer a crisma?
E se eu esperasse um pouco para...

Mas ela me corta,
o indicador, uma exclamação dura
na frente do meu rosto.

— *Mira, muchacha* —
ela começa. — Eu não vou
alimentar e vestir nenhum pagão.

Ela me diz que eu *devo*
a Deus e a mim mesma devoção.
Ela me diz que este país é mole demais
e dá muita abertura para as crianças.

Ela me diz que se eu não fizer a crisma aqui
ela vai me mandar de volta pra R.D.,
onde padres e freiras sabem
como suscitar fé de verdade.

Eu olho para seus dedos marcados.
Eu sei bem como ela foi ensinada a ter
fé.

Quando você tem pais velhos

Que já tinham desistido de ter filhos,
e de repente recebem gêmeos de presente,
vão te considerar um milagre.
Uma prece atendida.
Um símbolo do amor de Deus.
Os vizinhos vão fazer o sinal da cruz
quando te virem,
agradecendo por não ter sido um tumor
na barriga da sua mãe,
como o bairro inteiro temia.

Quando você tem pais velhos, parte dois

Seu pai nunca mais vai tocar em uma garrafa de rum.
Ele vai parar de passar o tempo no bar
em que os velhos vão paquerar.
Ele não vai mais tocar músicas
que inspirem gemidos ou investidas.
Você não vai crescer ouvindo
o chamado lento do acordeão
ou o arranhar da *güira*.

Seu pai vai virar "*un hombre serio*".
Merengue pode ser a música do seu povo,
mas o Papi vai rejeitar qualquer coisa
que possa tentá-lo com a música.

Quando você tem pais velhos, parte três

Sua mãe vai gravar seu nome em uma pulseira,
as palavras *Mi Hija*, minha filha, do outro lado.

Isto será seu presente favorito.
E se tornará uma algema, desprezada.
Sua mãe vai se doar à igreja
como uma pomba jogada aos céus.
Ela já era devota antes, mas agora
vai à missa todo santo dia.

Você vai ser forçada a ir com ela
até seus joelhos decorarem as farpas dos bancos,
o almiscarado incenso,
o jeito como a batina do padre tenta silenciar
todas as dúvidas que ecoam
e cantam no seu coração.

Últimas palavras sobre ter pais velhos

Você vai aprender a odiar.

Ninguém, nem mesmo seu irmão gêmeo,
vai entender o peso
que você carrega pelo seu nascimento;

sua mãe não tem olhos para nada
além de você, seu irmão e Deus;
            seu pai parece estar
pagando uma penitência, um voto de silêncio solitário.

Os olhares e palavras deles
pesam com todas as coisas
que eles querem que você seja.

É ingratidão se sentir um fardo.
É ingratidão ressentir meu nascimento.
Eu sei que   o Gêmeo e eu somos milagres.

Não somos lembrados disso todo santo dia?

Dizem as más línguas,

Mami era uma *comparona*:
metida, dizem, nariz empinado,
cabelo girando com tanta força
que parecia cambalhotar.

Mami nasceu na Capital,
em um *barrio* cheio de homens babões
que escreviam odes às suas pernas,
mas o único homem que Mami queria
estava preso a uma cruz.

Desde que era menina,
Mami queria vestir o hábito,
queria orações e o mais perto
de uma admissão automática para o paraíso
que pudesse ter.

Dizem as más línguas, Mami foi forçada a se casar com Papi;
designada pela família
para ir aos Estados Unidos.
Era para ser um acordo comercial,
Mas, trinta anos depois, eles ainda estão aqui.

E não acho que Mami jamais perdoou Papi
por fazê-la trair Jesus.

Ou por todas as outras coisas que ele fez.

Terça-feira, 4 de setembro

Primeira aula de crisma

E eu já queria socar os outros garotos bem na cara.
Eles me olhavam como se não tivessem o bom senso —
ou a boa educação — que sei que suas mães lhes deram.

Eu mordo a língua entre os dentes,
e não digo nada, não os xingo.
Mas minhas costas estão duras e não consigo me mexer.

E claro, eu e Caridad somos mais velhas
mas conhecemos quase todos da rua,
ou do grupo jovem de estudos bíblicos do ano passado.

Então, não sei por que eles parecem tão surpresos por nos ver aqui.
Talvez pensassem que fizemos a crisma há mais tempo,
já que nossas mães passam tanto tempo na igreja.

Talvez seja porque não consigo desfranzir minhas sobrancelhas,
um letreiro luminoso anunciando que preferia estar em qualquer
outro lugar.

Padre Sean

É o professor da crisma.
Ele é o pároco de La Consagrada Iglesia
desde que nasci,
o que significa que sempre esteve por perto.

Ano passado, no grupo jovem de estudos bíblicos, ele não era
tão severo.
Conversava conosco, com seu suave sotaque caribenho
nos levando gentilmente ao caminho da luz.
Ou talvez eu só não notasse sua severidade
porque os garotos mais velhos estavam sempre brincando,
ou fazendo as perguntas importantes
para as quais realmente queríamos respostas:
"Por que temos que esperar até o casamento?"
"E se a gente quiser fumar maconha?"
"Se masturbar é pecado?"

Mas a aula de crisma é diferente.
O padre Sean nos diz que vamos aprofundar
nossa relação com Cristo.
"Por sua volição vocês o aceitarão nas suas vidas.
Serão selados com o dom do Espírito Santo.
E isso é uma questão séria."

Naquela primeira aula inteira,
a palavra *volição* rola pela minha língua
como uma fruta que nunca provei,
mas que já amargou na minha boca.

Haiku

Padre Sean fala
espero o momento
então sussurro:

Meninos

X: Você ficou com alguém na R.D., Caridad?

C: Garota, para com isso. Você tá sempre falando de meninos.

X: Bom, se você não ficou com ninguém, por que tá toda vermelha?

C: Xiomara, você sabe que eu não fiquei com nenhum menino.
E eu sei que você também não ficou.

X: Não me olha assim. *Eu* não tô contente
por não ter beijado ninguém. É uma puta vergonha, a gente já
tem quase dezesseis.

C: Não fala "puta", Xiomara. E não revira os olhos pra mim
também não. Você só faz dezesseis em janeiro.

X: Só tô dizendo que mal posso esperar pra deixar de ser uma
freira. Ficar com um menino, saco, mal posso esperar para me
esconder atrás da escada e deixar ele pegar no meu peito.

C: Meu Deus, garota. Não guento contigo.
Aqui, lê o Livro de Rute. Vê se aprende alguma coisa.

X: Tsc, tsc. Você fala dessas coisas na igreja,
e ainda usa o nome dele em vão. Eita!

C: Para de falar besteira. Eu vou fazer pior do que te beliscar.
Não sei por que senti sua falta.

X: Deve ser porque eu te faço rir mais do que seus
amigos engomadinhos da missão?

C: Não guento contigo. Chega de se preocupar com meninos.
Você vai dar um jeito, com certeza.

Caridad e eu não deveríamos ser amigas

Nós não somos duas faces da mesma moeda.
Nós não somos confundidas com irmãs.

Nós não somos parecidas, não temos vozes parecidas.
Nós não fazemos sentido nenhum como amigas.

Eu reclamo e xingo, e estou sempre pronta para a briga.
Caridad recita a Bíblia e promove a paz.

Eu estou pronta para finalmente saber como é gostar de um
menino.
Caridad quer esperar até depois do casamento.

Eu tenho medo da minha mãe, e por isso obedeço.
Caridad realmente respeita os pais.

Eu deveria odiar Caridad. Ela é tudo o que meus pais queriam
em uma filha.
Ela é tudo o que eu nunca vou ser.

Mas Caridad, Gêmeo e eu nos conhecemos desde bebês.
Nós comemoramos aniversários juntos,

fomos a acampamentos da Igreja, passamos a véspera de Natal
na casa uns dos outros.

Ela me conhece de formas que não tenho que explicar.
Consegue prever meus ataques a quilômetros,

sabe quando preciso que ela brinque, ou quando estou irritada,
ou quando preciso que alguém me mande a real.

Na verdade, Caridad não é toda certinha no seu julgamento.
Ela sabe todas as questões que tenho,

sobre a igreja, e meninos, e minha mãe.
Mas ela nunca me diz que estou errada.

Ela só me olha daquele jeito dela,
cheia de tanta caridade, e me diz que sabe que

eu vou dar um jeito.

Questões que tenho

Sem as regras prisionais da Mami,
eu não sei quem eu seria
em relação a garotos.

É muito complicado.
Já faz um tempo que tenho esses sentimentos todos.
Percebendo mais os meninos do que antes.

E eu recebo muita atenção dos caras,
mas é um sancocho de emoções.

Uma mistura de ingredientes que não combinam:
em parte, orgulho por eles me acharem bonita,
em parte, medo por eles só se interessarem pelos meus peitos e
bunda,
e uma boa pitada de Mami-me-mata para completar.

E se eu gostar demais de um menino e ficar viciada em sexo,
como a Iliana, da Amsterdam Avenue?
Três filhos, mãe solteira,
e babadores, em vez de um diploma, pendurados na parede.

E se eu gostar demais de um menino e ele partir meu coração,
e eu acabar amarga e irascível como Mami,
andando por aí sempre dizendo como homens são péssimos,
mesmo quando meu pai e meu irmão estão por perto?

E se eu gostar demais de um menino
e nada disso acontecer...
Essas são as únicas medidas que tenho.

Como uma garota tipo eu descobre o peso
do que significa amar alguém?

Quarta-feira, 5 de setembro

Noite antes do primeiro dia de aula

Deitada na cama,
pensando nesse novo ano na escola,

eu me sinto
esticar e arrebentar.

Mesmo com meu corpo de amazona,
me sinto pequena demais para tudo o que há em mim.

Quero me rachar ao meio
como um ovo rebentando numa beirada.

Os professores sempre dizem
que cada ano escolar é um novo começo:

mas, mesmo antes deste dia,
eu acho que venho começando.

Quinta-feira, 6 de setembro

H.S.

Minha *high school* é um daqueles velhos prédios
dos dias da Grande Depressão, ou sei lá.

Os alunos vêm de toda a cidade, a maioria de ônibus ou metrô,
embora não seja tão longe e eu possa ir caminhando se o dia
estiver bonito.

A Chisholm H.S. é baixa e larga, ocupando meio quarteirão,
tijolos vermelhos e pátio cercado com cestas de basquete e bancos.

Não é como a escola de gênios do Gêmeo: toda vidro e futurismo.
Esta é uma escola típica da comunidade, e não faz muito tempo

era considerada uma das piores da cidade:
brigas de gangues de manhã, drogas circulando na sala.

Não é mais assim, mas se tem uma coisa que eu sei
é que reputações duram mais tempo do que levou para serem
criadas.

Então, eu passo por detectores de metal, reviro os bolsos,
cumprimento os seguranças pelo nome, e sou uma de centenas

que todo dia passam como farinha pela peneira das portas.
E eu mantenho a cabeça baixa, e eu não causo problemas.

Acho que o quero dizer é que este lugar é um lugar,
nem seguro nem inseguro, só um meio, só uma maneira de
chegar mais perto

de fugir.

Sra. Galiano

Não é o que eu esperava.
Todo mundo fala dela
como se fosse superexigente
e sempre passasse
os piores deveres.

Então, eu esperava alguém mais velho,
uma professora de camisa social, cabelo largado,
terninho e tudo o mais,
óculos escorregando pelo nariz.

Sra. Galiano é jovem, veste cores vivas,
seu cabelo é cacheado e natural.
Ela também é pequena — tipo, *mignon* de verdade —
mas ocupa muito o espaço, sabe como é?
Como se estivesse acostumada a forçar passagem
por tudo o que inventam sobre ela.

Hoje tive sua aula de inglês no primeiro tempo,
e depois de uma hora e quinze de apresentações,
quando aprendemos o nome de todo mundo
(Sra. Galiano acertou o meu logo de primeira),
ela passou nosso primeiro trabalho:

"Escreva sobre o dia mais impressionante da sua vida."

E embora seja só o primeiro dia de aula,
e nunca dê pra saber o quanto os professores fingem na primeira
semana,
tenho a sensação de que a Sra. Galiano
quer mesmo saber minha resposta.

Rascunho Trabalho 1 — Escreva sobre o dia mais impressionante da sua vida.

O dia em que menstruei, no quinto ano, foi só isso,
o fim de uma sentença de infância.
A fase seguinte começou toda em MAIÚSCULAS.

Ninguém me explicou o que fazer.
Eu tinha ouvido meninas mais velhas falarem "daqueles dias",
mas nunca sobre o que eu deveria usar.

Mami ainda estava no trabalho quando voltei da escola e fui fazer xixi e vi minha calcinha suja de sangue. Tirei o Gêmeo do computador e procurei "sangue lá embaixo".

Então, peguei o dinheiro que Mami esconde entre as panelas,
comprei uma caixa de OB, e enfiei um no meu corpo
do jeito que tinha visto padre Sean fechar com rolha o vinho consagrado.

Já era quase verão, eu estava de short.

Eu coloquei o OB errado. Ele só entrou pela metade,
e o sangue escorreu entre minhas coxas.

Quando Mami chegou, eu estava chorando.
Mostrei o manual;
Mami estendeu a mão, mas não pegou o papel.
Em vez disso, me deu um tapa tão forte que cortou meu lábio.

"Garotas direitas não usam *tampones*.
Você ainda é virgem? Está se deitando com alguém?"

Eu não sabia como responder, só conseguia chorar.
Ela balançou a cabeça e disse para faltar à igreja naquele dia.
Jogou fora a caixa de OB, dizendo que eram para *cueros*.
Que compraria Modess para mim. Disse que onze era jovem
demais.
Que ela rezaria em meu nome.

Eu não entendi o que ela dizia.
Mas parei de chorar. Lambi meu lábio cortado.
Rezei para que o sangramento parasse.

Versão final do Trabalho 1 (o que eu realmente entreguei)

Xiomara Batista
Sexta-feira, 7 de setembro
Sra. Galiano
O dia mais impressionante da minha vida, versão final

Quando eu fiz doze anos, meu irmão gêmeo economizou dinheiro do lanche o bastante para me comprar um presente de aniversário especial: um caderno. (Eu comprei um soco inglês de aço para ele poder se defender, mas, em vez disso ele o usou para conduzir eletricidade em um projeto de ciência. Meu irmão é um gênio.)

O caderno não era um daqueles comuns de papelaria que a maioria dos estudantes usa. Ele comprou em uma livraria. A capa é de couro, com uma mulher erguendo as mãos para o céu na frente, e várias citações motivacionais espalhadas como pétalas nas páginas. Meu irmão diz que não falo muito, então esperava que o caderno me desse um lugar em que eu pudesse colocar meus pensamentos. De vez em quando, visto meus pensamentos em panos de poemas. Tento descobrir se meu mundo muda quando escrevo essas palavras.

Aquela foi a primeira vez que alguém me deu um lugar para expressar meus pensamentos. Foi meio como se ele estivesse dizendo que meus pensamentos eram importantes. Daquele dia em diante, escrevo todo dia. Às vezes parece que escrever é a única forma que tenho de não sentir dor.

A rotina

É a mesma todo ano:
eu volto direto da escola para casa,
e como Mami diz que sou "*la niña de la casa*",
é minha responsabilidade ajudar.

Então, depois da escola eu como uma maçã — meu lanche
favorito —
lavo a louça, varro o chão.
Tiro o pó do altar de La Virgen María de Mami,
e evito a TV de Papi se ele está em casa,
porque ele odeia quando limpo e fico na frente
enquanto está tentando ver *las noticias* ou um jogo do Red Sox.

É um dos motivos de briga entre mim e o Gêmeo;
ele nunca precisa fazer metade da limpeza que eu faço,
mas ainda assim Mami gosta mais dele.

Ele ajuda quando está em casa, tira a roupa da máquina,
ou limpa a banheira. Mas não vai levar bronca se não fizer isso.

Escuto um dos ditados famosos de Mami no meu ouvido,
"*Mira, muchacha*, a vida não é justa,
é por isso que temos que conquistar nossa entrada no paraíso."

Coroinha

O Gêmeo é mais fácil para Mami entender. Ele gosta da igreja.
Por mais que seja um nerd de ciência,
ele não questiona a Bíblia como eu.

Ele é coroinha desde que tinha oito anos,
consegue citar o Novo Testamento — em espanhol e em inglês —
desde que tem dez, guia as discussões do grupo de estudos
bíblicos
melhor até do que o padre. (Sem ofensas, padre Sean.)

Foi inclusive voluntário no acampamento bíblico no verão
passado,
e agora que as aulas começaram, vai sentir falta
dos dioramas da via-crúcis que os campistas fizeram
com palitos de sorvete, os desenhos de palitinho
de Maria na manjedoura, o mosaico de bolinhas de gude
que pendurou na janela do nosso quarto,

o que eu joguei fora esta tarde enquanto limpava,
observando-o cair por entre as grades da saída de incêndio. Por
um segundo,
ele refletiu o sol em mil cores
até se espatifar no concreto.

Peço desculpas ao Gêmeo depois. Digo que foi sem querer.
Ele vai me perdoar. Ele vai fingir acreditar.

O nome do Gêmeo

Desde que me lembro
só chamo meu irmão de "Gêmeo".

Ele na verdade *é* batizado em homenagem a um santo,
mas eu nunca gostei de dizer seu nome.

É um nome legal, sei lá,
até começa com *X*, como o meu,

mas simplesmente não parece o irmão que eu conheço.
Seu nome de verdade é para Mami, professores, padre Sean.

Mas *Gêmeo*? Só eu chamo ele assim,
um lembrete do par que sempre seremos.

Mais sobre Gêmeo

Embora o Gêmeo seja quase uma hora mais velho do que eu —
o parto ficou complicado na minha vez —,
ele não age como se fosse mais velho. Ele é anos mais gentil do
que eu jamais serei.

Quando a gente era criança, eu voltava para casa
com os dedos sangrando, e Mami perdia o fôlego
e me sacudia: "*¡Muchacha, siempre peleando!*
Por que não é uma mocinha? Ou como seu irmão?
Ele nunca briga. Não é o que Deus quer."

E os olhos do Gêmeo encontravam os meus
do outro lado da sala. Eu nunca contei
que ele não brigava porque minhas mãos
se tornavam punhos por ele. Minhas mãos aprenderam
a sangrar quando outras crianças
tentavam transformá-lo em chaga.

Meu irmão nasceu um assobio fraco:
baixo, mal movendo ar, um som delicado.
Mas eu nasci todo o furacão de que ele precisava
para erguer — e soltar — no chão quem o machucava.

Terça-feira, 11 de setembro

É só a primeira semana do décimo ano

E a escola já está uma bagunça.
No nono ano você ainda está num meio-termo.
Não é mais criança,
mas ainda é tratado como se fosse.

No nono ano você está sempre paralisado
entre tentar não sorrir nem chorar,
até descobrir que ninguém liga para
o que o seu rosto faz, só para o que as suas mãos podem fazer.

Eu pensei que o décimo ano seria diferente,
mas ainda me sinto como um camarão solitário
em um riacho em que muitos procuram
alguém com uma concha frágil
para abrir e rasgar.

Hoje, já tive que xingar um garoto
por puxar a alça do meu sutiã,
depois empurrei um veterano no armário
por tentar sussurrar no meu ouvido.

"Ô, grandona", eles dizem,
"eu sei o que garotas que nem você querem."

E sinto nojo de mim mesma
pela leve animação
que corre pelas minhas costas,

e ao mesmo tempo gostaria
que meu corpo se dobrasse até o menor cantinho
em que eu pudesse me esconder.

Como eu me sinto em relação à atenção

Se Medusa fosse dominicana e tivesse uma filha,
acho que seria eu.
Meu corpo e minha mente são como um mito.
Uma história distorcida, esperando que os outros parem
e olhem.

Cachos apertados que explodem como fogos
da minha cabeça. Lábios grossos, afiados
como uma lâmina. Cílios longos demais,
que me fazem quase bonita.

Se Medusa
fosse dominicana e tivesse uma filha, ela se
impressionaria com a maldição. Como o seu sangue
sempre se torna a missão de algum falso herói.
Algo a ser derrubado, conquistado.

Se eu fosse sua filha, Medusa me contaria seus segredos: como
é que seus olhares param os homens
em meio a um passo, e ainda assim eles continuam vindo.
Como ela se esquiva quando eles aparecem.

Jogos

Em um dos nossos últimos sábados de calor,
eu, Gêmeo e Caridad vamos ao Goat Park,
no Upper West Side.

Tirando a patinação no gelo na infância,
nem eu nem o Gêmeo somos muito atléticos,
mas Caridad ama "fazer atividades sociais diferentes",
e esta semana é um torneio de basquete.

Nós três sempre fomos próximos assim.
E embora a gente seja diferente,
desde pequenos nos encaixamos.

Às vezes Gêmeo e Caridad é que
agem mais como gêmeos,
mas a vida toda somos amigos, somos família.

Já dá para sentir o friozinho no ar.
Logo vai ser época de usar moletons,
e então, época de parcas depois disso,
mas hoje ainda está fresco para sair de camiseta,
e eu meio que fico feliz por causa dos jogadores seminus?
    Eles são LINDOS.

Correndo por aí de bermuda e sem camisa,
os músculos suados, a pele rubra.
Eu me apoio na grade e observo
enquanto eles correm pra cá e pra lá na quadra.

Caridad presta atenção no jogo,
mas o Gêmeo, como eu, encara um dos jogadores.
Quando ele percebe que eu vi, Gêmeo finge limpar os óculos
na camisa.

Quando o jogo acaba (o time da Dickman ganhou),
a gente se afasta das outras pessoas,
mas, assim que chegamos no portão, um dos jogadores,
um carinha da nossa idade, para na minha frente.

— Vi que você tava me encarando, Mami.

Droga. Nos últimos tempos, não tenho conseguido tirar os olhos.
Dos traficantes, dos jogadores, de caras aleatórios no metrô.
Mas, por mais que eu goste de ver, odeio que me vejam.

De repente percebo quantos meninos
na quadra pararam para me olhar.
Balanço a cabeça para o jogador e dou de ombros.
O Gêmeo agarra meu braço e me puxa.
O jogador entra na frente dele.

"Ah, essa mina tá contigo? É bastante corpo
pra um mirradinho que nem tu aguentar.
Acho que ela precisa de um macho maior."

Quando vejo aquele sorrisinho, e sua mão apertando a virilha,
me solto das mãos do Gêmeo, ignoro a respiração acelerada de
Caridad,
e paro bem na frente do machão:

— Maluco, tu acha que consegue me "aguentar",
mas não aguenta nem a bola?

Solto um muxoxo quando o sorriso some da cara dele;
os outros caras por perto começam a gritar e gargalhar.
Mantenho a cabeça erguida e abro caminho na multidão.

Depois

Isso me acontece no mercado.
Isso me acontece na escola.
Isso me acontece no metrô.
Isso me acontece na estação.
Isso me acontece no meio-fio.
Isso me acontece na esquina.
Isso me acontece quando esqueço de estar alerta.
Isso me acontece o tempo todo.

Eu deveria me acostumar.
Eu não deveria ficar tão puta
quando os garotos — às vezes,
homens feitos —
falam comigo como querem,
acham que podem se tocar
ou me agarrar
ou fazer todo tipo de oferta.
Mas eu nunca me acostumo.
E sempre me deixa de mãos trêmulas.
Sempre deixa minha garganta apertada.
A única coisa que me acalma,
depois que chego em casa com Gêmeo,
é colocar os fones de ouvido.
Ouvir Drake.
Pegar meu caderno,
e escrever, escrever, escrever
todas as coisas que eu queria ter dito.
Fazer poemas com o que sinto afiado dentro de mim,
como se os sentimentos pudessem me cortar
de dentro para fora.

Isso me acontece quando uso shorts.
Isso me acontece quando uso jeans.
Isso me acontece quando olho pro chão.
Isso me acontece quando olho pra frente.
Isso me acontece quando estou andando.
Isso me acontece quando estou sentada.
Isso me acontece quando estou no celular.
Simplesmente nunca para.

BEM?

O Gêmeo me pergunta se eu tô bem.
E meus braços não sabem
o que querem se tornar:
um abraço receptivo ou bigornas caindo dos céus.

E o Gêmeo deve ver na minha cara.
Meu amor e minha decepção.
Ele é mais velho (mesmo que só alguns minutos)
e um cara, mas nunca me defende.

Ele não sabe o quanto estou cansada?
O quanto odeio ter que ter
essa língua afiada e esses punhos pesados?

Ele se vira de novo para o computador
e continua clicando, quieto.
E nenhum de nós precisa dizer
o quanto está decepcionado com o outro.

Domingo, 16 de setembro.

No domingo

Eu encaro o pilar
na frente do meu banco
para não ter que olhar
para o mosaico de santos,
ou a escultura de dois metros
de Jesus se erguendo atrás
do altar.
Mesmo com a cantoria animada
e o pandeiro,
ultimamente a igreja parece
menos festa, mais prisão.

Durante a comunhão

Desde que tenho dez anos,

sempre fiz fila com os outros fiéis
no fim da missa para receber o pão e o vinho.

Mas hoje, quando todo mundo pula dos bancos
e encara o padre Sean, minha bunda parece colada à madeira.

Caridad se aperta para passar por mim, a sobrancelha erguida,
confusa,
e vai para o começo da fila.

Mami me cutuca com força, e eu sinto
seus olhos como faróis brilhando no meu rosto,

mas olho pra frente, deixando o vitral de *la Madre María*
se misturar em um arco-íris de cores.

Mami se abaixa: "*Mira, muchacha,* vai receber Cristo.
Agradeça pelo fato de estar respirando."

Ela sabe como usar a culpa para me fazer obedecer.
Normalmente, funciona.

Mas hoje eu sinto a dúvida
grudando no céu da boca como uma hóstia:

Pra que Deus me deu a vida
se não posso vivê-la como quero?

Por que ouvir seus mandamentos
tantas vezes significa ter que calar minha própria voz?

Missa na igreja

Quando eu era pequena,
eu amava a missa.
O tilintar dos pandeiros,
o violão.
As carolas
cantando os hinos
no ritmo do merengue.
Todos nos bancos,
de mãos dadas e aplaudindo.
Minha mãe, tão dura em casa,
chorava e sorria
durante os sermões do padre Sean
no seu espanhol confuso.

É só quando o padre Sean
começa a falar das Escrituras
que tudo em mim
parece uma pia cheia demais,
suja demais.

Quando escuto que as meninas
Não podem. Não podem. Não podem.
Quando escuto que devo
Esperar. Parar. Obedecer.

Quando escuto que não devo ser como
Dalila. A esposa de Ló. Eva.

Quando a única garota que devo imitar
foi uma virgem fecundada
que provavelmente tava morrendo de medo.
Quando escuto que medo e fogo
são tudo o que esta vida me reserva.

Quando olho pela igreja
e nenhuma das imagens de anjos,
de Jesus ou Maria, ou de algum dos apóstolos
é como eu: preta, grande, nervosa.

Quando escuto que devo ter fé
no pai   no filho
nos homens   e os homens são os primeiros

a fazer eu me sentir tão pequena.

É aí que me sinto falsa.
Porque eu concordo, aplaudo, digo "Amén" e "Aleluya",
o tempo todo sentindo que esta casa   a casa dele
é uma que não quero mais alugar.

Nem perto de haikus

As costas de Mami são um cabide.
Sua raiva é feita da mais pesada lã.
Deve deixá-la com muito calor.

*

"*Mira, muchacha,*
quando for a hora de receber o corpo de Cristo,
nunca mais deixe de fazer isso."

*

Mas eu também consigo ter um cabide nas costas.
Retas, duras e indobráveis
sob o peso daquele olhar severo.

*

"Eu não quero receber
o pão e o vinho, e o padre Sean diz
que a comunhão deve ser sempre e somente feita com alegria."

*

Mami me olha de cara feia.
Eu olho direto para a frente.
É difícil dizer quem ganhou este round.

Água benta

"Não sei não, essa menina",
Mami sussurra para Papi.
Eles nunca acham que eu e o Gêmeo conseguimos ouvir.

Mas como eles mal falam duas palavras um para o outro
a não ser que seja sobre nós ou sobre o jantar,
a gente sempre presta atenção quando eles falam,

e estas paredes finas do Harlem
mal abafam qualquer som.

"Ultimamente ela está com todo o tipo de demônio.
Provavelmente vieram de você.
Eu falei com o padre Sean, e ele disse que
vai falar com ela na aula de crisma."

E eu quero dizer para Mami:
o padre Sean falar comigo não vai adiantar.
Que aquele incenso embrulha meu estômago.
Que todas as velas acesas me chamam como dedos
querendo se apertar na minha garganta.
Que eu não entendo mais o Deus dela.

Eu ouço Papi mandando-a se calar:
"É da idade. Meninas adolescentes são assim mesmo.
A puberdade muda a cabeça delas. *Son locas*."

E como Papi sabe mais
sobre meninas do que ela,
ela fica quieta com essa resposta.

Não sei se estou rezando ao esperar
que meus sentimentos me afoguem
antes da água batismal da igreja.

As pessoas dizem

Papi era um *mujeriego.*
Que ficava bêbado na barbearia
e tocava as coxas de qualquer mulher
que chegasse perto demais.

Elas dizem que elogios escorriam
pela sua língua, e que seu corpo
era como um tambor com a pele
esticada demais.

Elas dizem que o Papi tinha problemas,
que não conseguia engravidar as mulheres,
então ele espalhava suas sementes no vento,
sem ligar para onde cairiam.

Elas dizem que o Gêmeo e eu o salvamos.
Que se não fosse por nós,
Mami o teria chutado de casa,
ou um marido ciumento dado um fim nele.

Elas dizem que Papi adorava dançar,
mas que agora ele finalmente tem a firmeza
que o permite ser um homem direito.
Elas dizem que fomos nós que fizemos isso.

Sobre Papi

Você pode ter um pai que mora com você.
Que todo dia come na mesa,
e assiste TV na sala

e ronca a noite toda,
e reclama das contas ou do tempo,
ou dos 10 que seu irmão tira.

Você pode ter um pai que trabalha para o Departamento de
Trânsito,
e lê *El Listín Diario*,
e liga para a ilha de tempos em tempos
para falar com o primo Fulano ou Beltrano.

Você pode ter um pai que, se alguém perguntar,
você teria que dizer que mora com você.
Você teria que dizer que está por perto.

Mas, mesmo quando ele te esbarra
no caminho para o banheiro,
ele poderia ser qualquer um.

Só porque seu pai está presente
não significa que ele não é ausente.

Tudo por uma porcaria de hóstia

Como penitência, Mami me faz ir
à missa noturna com ela todo dia desta semana,
mesmo nos dias que não tem aula de crisma.

Quando chega a hora da comunhão,
eu fico na fila como todo mundo,
e quando o padre Sean pousa a hóstia
na minha língua, eu saio,
me ajoelho,
e cuspo a hóstia na palma da mão
enquanto finjo rezar.

Eu sinto os olhos ardentes da estátua de Jesus
me observando esconder a hóstia atrás do banco,
onde seu corpo sagrado vai agora alimentar os ratos.

Segunda-feira, 17 de setembro

O folheto

"Em busca de poetas!"

O pôster foi impresso
em papel branco comum de computador.
O básico:

Clube de Poesia Falada
Em busca de poetas, rappers e escritores.
Terças-feiras, depois da escola.
Para mais informações, procure a Sra. Galiano na sala 302.

Está escondido atrás de outros anúncios,
mais coloridos e chamativos,
mas ele ainda me faz parar
na metade das escadas,
enquanto os alunos atrasados
se esforçam para, acidentalmente,
me fazer tropeçar escada abaixo.
Mas eu estou enraizada ao chão,
uma nova certeza zumbindo acima do vozerio,

este pôster parece pessoal,
como um convite em alto-relevo
enviado diretamente para mim.

Depois que o entusiasmo esmorece

Eu amasso o folheto na mochila.
Uma bola apertada e bem escondida.
Às terças eu tenho aula de crisma.

De jeito nenhum Mami vai me deixar faltar.
De jeito nenhum vou deixar alguém ouvir meus escritos.

Algo em meu peito estremece como um pássaro
cujas asas ainda estão presas

pelas mãos mais firmes de todas.

Terça-feira, 18 de setembro

Aman

Depois de duas semanas repassando a matéria de biologia,
de lições sobre segurança e blá-blá-blá,
finalmente vamos começar a trabalhar de verdade.
Um menino, Aman, é escolhido para ser meu parceiro de laboratório.

Eu o conheço do ano passado,
mas esta é a nossa primeira aula juntos.

Ele se ajeita na mesa dupla que dividimos
e seu antebraço toca o meu.

Depois de um momento, eu me mexo de propósito,
gostando de como meu braço encosta no dele.
Eu me afasto logo.

A última coisa de que preciso é que alguém me veja
tentando catar um carinha no meio da aula.
Isso ia me dar fama de atirada.

Mas é como se o toque do seu braço tivesse mudado tudo.

Agora percebo como sou alguns centímetros mais alta do que ele.
Como seus lábios são carnudos. Como ele tem uns pelinhos no
queixo.

Como ele é quieto. Como ele me olha por entre os cílios.
No fim da aula, enquanto nós dois olhamos para o quadro,
eu deixo meu braço descansar ao lado do dele. Parece seguro
nosso silêncio.

Sussurrando com Caridad mais tarde

X: Tem um menino na escola...

C: É por isso que sua mãe deveria ter te colocado
no Saint Joan comigo.

X: Tá brincando? Metade dessas meninas
acaba grávida antes de se formar.

C: *No exageres*, Xio.
E a gente vai acabar arrumando problema.
Temos que anotar esses versículos.

X: Eu e você, a gente consegue recitar esse versículo até dormindo.
Não é errado achar um menino bonito, sabe.

C: É errado sentir luxúria, Xio. Você sabe que é pecado.

X: Somos humanas, não robôs. Até nossos pais já sentiram
luxúria.

C: É diferente. Eles eram casados.

X: E você acha que eles não sentiram tesão antes de casar?
Por favor, garota. De qualquer forma, tem um menino na
escola.
Ele é fofo. O braço dele... é quentinho.

C: Eu nem quero saber o que você está tentando dizer com isso.
É gíria pra alguma coisa? Para de bobeira.

X: Caridad, você está sempre tentando me proteger
da minha mente poluída... cheia de braços quentinhos.

C: Às vezes acho que eu sou a única
tentando te proteger de você mesma.

O que o Gêmeo sabe

Quando estou me arrumando para dormir, me surpreendo
ao ver o folheto amassado do clube de poesia
esticado direitinho em cima da minha cama.
Deve ter caído da mochila.

Sem tirar os olhos do computador,
o Gêmeo diz no que mal é um sussurro:

"Este mundo está esperando
pelo seu gênio há tempo demais."

Meu irmão não é médium ou profeta,
mas isso me faz sorrir,
essa esperança secreta entre a gente,
de que nós dois somos bons o bastante
um para o outro e talvez para o mundo também.

Mas quando ele vai escovar os dentes,
eu rasgo o folheto em pedacinhos antes que Mami veja.
As terças-feiras, no meu futuro próximo,
pertencem à igreja. E qualquer genialidade que eu talvez tenha
pertence somente a mim.

Dividindo

Embora o Gêmeo e eu sejamos muito diferentes,
as pessoas acham estranho o quanto dividimos.
Dividimos a mesma placenta, o mesmo berço,
e a vida toda, o mesmo quarto.

Mami queria um apartamento maior,
disse ao Papi para nos mudarmos para o Queens,
ou para qualquer lugar longe do Harlem,
onde a gente poderia ter um quarto para cada.

Mas parece que Papi, mesmo mudado,
ainda resistia.
Disse que tudo o que poderíamos querer estava aqui.
Que dividir um quarto não nos mataria.

E é verdade.
Por outro lado. Já ouvi um boato
de que peixes dourados têm um traço genético
que os faz crescer de acordo com o tamanho do aquário.

Eles precisam de espaço para se desenvolver. E me pergunto se
o Gêmeo e eu estamos nos mantendo pequenos.
Ocupando o espaço que permitiria que o outro crescesse.

Perguntas para a Sra. Galiano

Eu sou uma das primeiras na aula de inglês no dia seguinte.
E por mais que eu tenha me prometido que ficaria de boca
bem fechada, quando a Sra. Galiano me pergunta como estou,
as palavras tropeçam e torcem os pés,
tentando fugir da minha boca: "Entãovocêcuidadoclubedepoesia?"

Ela não ri. Inclina a cabeça, assente.
"Sim, começamos este ano. Clube de Poesia Falada."

E o meu rosto deve ter feito mil caretas confusas e estranhas
porque ela tenta me explicar que poesia falada é uma poesia atuada,
mas tudo parece igual para mim... só que uma delas é decorada.

"Seria mais fácil mostrar para você.
Vou exibir um vídeo no começo da aula hoje.
Está pensando em entrar para o clube?"

Balanço a cabeça, não. Ela me olha daquele jeito de novo,
quando alguém que não te conhece está te avaliando,
como se você fosse um relógio quebrado e estivessem tentando
traduzir seus tiques.

Poesia Falada

Quando a aula começa, a Sra. Galiano passa um vídeo:
uma mulher no palco, a voz baixa,
depois, mais alta, mais rápida, como um trem expresso disparando
pelos trilhos.

A poeta fala sobre ser negra, sobre ser mulher,
sobre como os padrões de beleza a fazem pensar que não é
bonita.
Eu não respiro por três minutos inteiros

enquanto observo suas mãos, e rosto,
sentindo que ela está falando diretamente comigo.
Está dizendo o que eu penso e o que eu achava que ninguém
mais pensava.

Somos diferentes, a poeta e eu. Na aparência, no corpo,
na história. Mas não me sinto tão diferente
quando a escuto falar. Sinto que me escuta.

Quando o vídeo termina, meus colegas,
que raramente se animam com alguma coisa, aplaudem baixinho.
E embora a poeta não esteja ali na sala,

parece certo ovacioná-la assim,
mesmo que seja só um aplauso educado,
minhas mãos também se movem.

A Sra. Galiano pergunta sobre os temas e o estilo de apresentação,
mas em vez de erguer a mão, eu a aperto contra o coração,
e desejo que o arrepio nos meus braços logo passe.

Era só um poema, Xiomara, penso.

Mas parecia mais um presente.

Espera...

É isso o que a Sra. Galiano acha
que vou fazer no seu clube de poesia?
Ela mencionou uma competição,
e eu sei como essas coisas funcionam,
mas ela não pode achar que eu,
que fico em total silêncio durante a aula,
que só falo para tirar alguém do meu pé,
vou subir num palco
e recitar qualquer coisa que escrevi,
em voz alta, para outras pessoas.

Ela só pode estar totalmente doida.

Guardando um poema no corpo

Hoje, depois do banho,
em vez de encarar partes de mim mesma
eu quero me montar em outro quebra-cabeça,
eu observo minha boca enquanto memorizo um dos meus
poemas.

Mesmo que não planeje deixar ninguém ouvir,
penso naquele vídeo de poesia da aula...

Eu deixo as palavras se formarem sólidas na minha boca.
Eu deixo minhas mãos fingirem ser marcas de pontuação
que traçam, apontam e se apertam uma na outra.
Eu deixo meu corpo finalmente ocupar todo o espaço que quer.

Eu balanço a cabeça, e faço careta,
e mostro os dentes, e sorrio, e ergo os punhos,
e cada um dos meus membros
é um ator tentando dominar o palco.

E aí Mami bate na porta
e pergunta o que estou falando aqui sozinha,
melhor não ser letra de rap,
e eu respondo: "Versos. Estou decorando versos."
Eu sei que ela acha que estou falando da Bíblia.

Escondo meu caderno na toalha antes de ir para o quarto,
e me conforto com o fato de que não estava mentindo de verdade.

J. Cole x Kendrick Lamar

Agora que estamos fazendo trabalho de laboratório de verdade,
Aman e eu somos forçados a nos falar.
Na maior parte do tempo a gente gagueja baixinho
sobre béqueres e medidas,
mas não consigo esquecer o que falei para Caridad:

Quero conhecê-lo.

Eu pergunto se ele tem o disco novo de J. Cole.
Arrumo uns papéis enquanto espero ele responder.
Aman assina o nome embaixo do meu no relatório.
O sinal toca, mas a gente não se mexe.
Aman se endireita, e pela primeira vez olha nos meus olhos:

"Aham, eu comprei o Cole, mas gosto mais do Kendrick Lamar.
A gente devia ouvir o disco novo juntos qualquer dia."

Asilo

Quando minha família comprou o primeiro computador,
eu e Gêmeo tínhamos tipo nove anos.

E enquanto o Gêmeo usava para procurar descobertas astronômicas
ou os últimos animes,

Eu baixava músicas.
Trocando a tela dos clipes

para tutoriais da Khan Academy
quando Mami entrava no quarto.

eu me apaixonei por Nicki Minaj,
por J. Cole, por Drake e Kanye.

Por rappers das antigas como
Jay Z e Nas e Eve.

Todo dia eu procurava músicas novas,
e era como pedir asilo.

Eu só precisava de alguém que me ajudasse a escapar
de todo aquele silêncio.

Eu só precisava de alguém dizendo palavras
sobre todas as coisas que magoam.

E talvez seja por isso que Papi parou de ouvir música,
porque ela pode fazer seu corpo todo querer se rebelar. Se
expressar.

E mesmo tão nova eu aprendi que a música pode ser uma
ponte
entre você e um completo estranho.

O que digo a Aman:

"Pode ser. Eu te aviso."

Sonhando com ele hoje

Um rosto de menino nas minhas mãos,
mas ele é quase um homem.
Lembranças das palavras de Mami
quase me arrancam os dedos,
mas ainda assim eu subo
contra os espinhos e arranhões
e a aspereza da barba rala no seu queixo.
Seu rosto é quente como um sol;
a testa, larga como uma tela.
Um nariz que ocupa espaço.
Este é um rosto que não pede desculpas.

O garoto aproxima o corpo do meu,
e sinto suas mãos
descerem da minha cintura para os meus quadris,
e depois subindo para esses peitos que eu odeio,
e que eu agora empurro para ele como oferendas,
suas mãos tão perto, nossos rostos ainda mais...
e aí meu despertador toca,
me acordando para a escola.

Nos meus sonhos, o menino tem uma boca que conhece
mais do que palavrões e rezas. Mais
do que pão e vinho. Mais
do que água. Mais
do que sangue.
Mais.

Quinta-feira, 20 de setembro

O problema dos sonhos

Quando chego na escola,
sei que não vou conseguir olhar na cara de Aman.

Não dá para sonhar em tocar um menino
e depois olhar para ele na vida real
e não achar que ele vai ver
o sonho como uma maquiagem completa
avermelhando suas bochechas.

Mas mesmo estando nervosa,
quando chego na aula de biologia,
e quando sento do lado dele, eu me acalmo.
Como se meu sonho me desse
um conhecimento profundo
que alivia meus nervos.

"Eu adoraria ouvir o disco novo do Kendrick.
Será que a gente pode fazer isso amanhã?"

Encontro

Isso não conta como um encontro.
Nem mesmo como algo pecaminoso.
Só dois colegas
se encontrando depois da escola
para ouvir música.

Então, eu tento não pirar
quando Aman concorda
com o nosso não encontro.

As regras sobre encontros da Mami

Regra número 1: Eu não posso ter encontros.

Regra número 2: Pelo menos até me casar.

Regra número 3: Ver regras 1 e 2.

Esclarecimentos sobre as regras

A parada é que
meus pais
antiquados e dominicanos
Não. Estão. Para. Brincadeira.

Bem, é mais a Mami.
Não sei se Papi
tem opiniões tão fortes,
ou pelo menos ele nunca falou nada.

Mas Mami me diz,
desde que consigo me lembrar,
que não posso ter namorado
até terminar a faculdade.

E, mesmo assim,
ela tem regras complicadas
sobre o tipo de menino
que ele tem que ser.

E as palavras de Mami
sempre foram como
mandamentos na pedra.
Então, eu já sei que
ir para um parque
sozinha com Aman
quase poderia ser
o oitavo pecado capital.

Mas mal posso esperar
para fazer isso mesmo assim.

Sexta-feira, 21 de setembro

Me sentindo

Eu fiquei a noite passada toda guardando o segredo sobre
encontrar Aman
como uma vela que muito facilmente poderia se apagar.

Toda a vez que Mami dizia meu nome, ou que o Gêmeo olhava
para mim,
eu esperava que me perguntassem o que eu estava escondendo.

Hoje de manhã, eu passei minha blusa. Um sinal óbvio de que
estou aprontando,
porque odeio passar roupa.

Mas ninguém diz nada sobre a blusa,
nem sobre meu protetor labial novo com cheiro de manteiga de
carité.

E quando eu enfio meus quadris na calça jeans,
minhas pernas parecem fortes sob as minhas mãos,

e eu sorrio por cima do ombro para o meu bumbum redondo
no espelho.

Parte II

E o mundo

foi feito carne

Áreas de fumante

Como eu não iria mesmo para a casa dele
(não que ele tenha me chamado!),
nós dois sabemos que nossa amizade secreta
só pode existir em público.

Toda sexta a escola libera a gente mais cedo,
e hoje eu e Aman acabamos na área de fumantes do parque
 próximo.
Eu nunca fumei maconha,
mas acho que às vezes Aman fuma depois da aula;
sinto o cheiro nas roupas dele, e conheço o pessoal com quem
 ele anda.

Mas hoje o parque é nosso,
e sentamos em um banco com mais
do que nossos braços "acidentalmente" se tocando.
Os dedos dele tocam meu rosto
quando ele coloca um dos fones no meu ouvido.

Sinto o cheiro do perfume dele,
e quero me aproximar, mas tenho
medo de que ele perceba que estou fungando.
Por um momento, a única coisa que escuto
é meu próprio coração batendo forte
nas minhas orelhas.

Eu fecho os olhos e me permito
achar na música o que sempre busquei:
uma forma de fugir.

Depois de uma hora, quando o disco acaba
e Aman me puxa pela mão para levantar do banco,
eu o seguro. Conecto meus dedos aos dele só por um momento.
E vou andando até a estação realmente agradecida
por esta cidade ter tantas pessoas para me esconder.

Eu decidi muito tempo atrás

Gêmeo é o único menino que vou amar.
Não quero um mulherengo convertido que nem meu pai
para o bairro inteiro ficar falando de mim e da minha família.

Não quero um garoto bonito,
ou um atleta superfamoso, mais apaixonado por si mesmo
do que por qualquer outra pessoa.

Eu nem mesmo sairia com um menino como o Gêmeo,
que pensa que as pessoas são inerentemente boas,
que sempre vê o melhor nelas.

Mas eu tenho que amar o Gêmeo.
Não só porque somos família, mas porque
ele é o melhor menino que conheço.

Ele também é o pior gêmeo do mundo.

Por que o Gêmeo é um péssimo gêmeo

Ele não se parece nada comigo.
Ele é pequeno. Franzino.
Magrelo, tipo um palito.
(Eu devo ter feito bullying com ele na barriga da Mami,
porque eu obviamente roubei todos os nutrientes.)

Ele usa óculos porque tem medo
de furar o próprio olho usando lentes.
Ele nem tenta parecer maneiro, ou se encaixar.

Ele é, na verdade, o pior dominicano:
não dança, as sobrancelhas se encostam um pouco,
raramente raspa o cabelo, e prefere ler
a ver beisebol. E ele odeia brigar.
Nem comigo ele brigava quando a gente era pequeno.

Eu já me meti em muita confusão
tentando impedir que o Gêmeo perdesse
sua coleção de animes.

Meu irmão não é nenhum estereótipo, isso é certo.

Por que o Gêmeo é um péssimo gêmeo, de verdade

O Gêmeo é um gênio.
Frases completas desde que tinha oito meses,
só tira 10 desde o prezinho,
experimentos científicos e bolsas
para acampamento espacial desde o quinto ano.

Isso também significa que não estamos
na mesma turma desde bem pequenos,
e aí ele entrou num colégio especializado,
e a esperteza dele significa
que não posso nem copiar o seu dever de casa.

Ele é um livro premiado de capa dura,
enquanto eu sou páginas soltas e em branco.
E como ele veio primeiro, é culpa dele.
E eu insisto nisso.

Por que o Gêmeo é um péssimo gêmeo (a última e mais importante razão)

Ele não tem intuição de gêmeo!
Ele não sente dor por mim.
Ele nunca sabe, sem motivo nenhum,
quando tenho um dia ruim ou preciso de ajuda.
Na verdade, ele mal tira os olhos da
página de um quadrinho ou da tela do computador
por tempo suficiente para perceber que estou aqui.

Mas por que o Gêmeo ainda é o único menino que vou amar

Porque embora conversar com ele
seja como falar com um santo de cabeça oca,
de vez em quando, ele diz, num fraco sussurro,
algo que me deixa de queixo caído.
Hoje ele tira os olhos dos livros da escola e pisca.

"Xiomara, você está diferente.
Como se algo dentro de você tivesse mudado."

Paro de respirar por um segundo.
Será que meu corpo foi marcado pela minha tarde com Aman?
Será que Mami vai vê-lo em mim?

Eu olho para o Gêmeo, para o sorriso confuso no seu rosto;
quero dizer que ele também parece diferente:
talvez o mundo inteiro esteja diferente,
só porque eu encostei em um garoto.
Mas antes que eu fale uma palavra,
o Gêmeo abre sua boca grande:

"Ou talvez seja só o seu ciclo menstrual?
Você sempre fica meio inchada."

Eu jogo um travesseiro na cabeça dele e rio.
"Só você, Gêmeo. Só você."

Domingo, 23 de setembro

Comunicação

Aman e eu trocamos telefones para conversar sobre os trabalhos
de laboratório,
mas quando saio da missa, levo um susto ao ver
que ele me mandou uma mensagem.

A: E aí, o que achou do Kendrick?

E porque Mami está reclamando baixinho de mim
por não receber o sacramento de novo
(faço outra semana inteira de missa se precisar),
eu prendo o gritinho atrás dos meus dentes.
digito uma resposta rápida:

X: É legal. A gente podia ouvir outra coisa da próxima vez.

E a resposta dele é quase imediata:

A: Total.

Sobre A:

Toda vez que penso em Aman,
poemas brotam dentro de mim
como se eu tivesse recebido uma caixa de Legos metafóricos
que encaixo um em cima do outro, um em cima do outro, sem parar.
Fico esperando alguém derrubá-los.
Mas ninguém em casa liga para os meus rabiscos.

Gêmeo: distraído, embora mais feliz do que normalmente.
Mami: achando que estou fazendo dever de casa.
Papi: me ignorando como sempre, ou seja, sendo Papi.
Eu: escrevendo páginas e mais páginas sobre um menino,
e recitando-as para mim mesma como se fosse música, como se fosse prece.

Segunda-feira, 24 de setembro

Pegando sentimentos

Na escola, as coisas estão muito diferentes.
A Sra. Galiano me pergunta sobre o Clube de Poesia Falada,
e eu tento fingir que esqueci.

Mas acho que ela sabe, pela minha expressão,
pelo meu desinteresse, que estou praticando em segredo.
Que passo mais tempo escrevendo poemas
ou assistindo a performances no YouTube
do que fazendo seus trabalhos.

No intervalo, sento com o mesmo grupo do ano passado,
uma mesa cheia de meninas que querem ser deixadas em paz.
Sinto conforto nas maçãs e no meu diário,
enquanto as outras meninas leem livros por cima das bandejas,
ou desenham mangás, ou trocam mensagens em silêncio com
os namorados.
Dividimos espaço, mas não palavras.

Em biologia, quando sento a bunda no banco
ao lado de Aman, me pergunto se deveria sentar mais devagar
ou mais rápido, se deveria escrever com mais capricho
ou correr a ponta dos dedos pelas costas da mão dele
quando o Sr. Bildner não está olhando.

Em vez disso, Aman e eu trocamos recados em pedacinhos de
papel,
falando sobre nosso dia, nossos pais,
nossos filmes e músicas favoritos,
e a próxima vez que formos ao parque.

Se meu corpo fosse uma garrafa de refrigerante,
seria uma que foi tão sacudida e largada
que a qualquer momento vai estourar
e surpreender a porra do mundo todo.

Conversas com Aman

A: Você já ficou com alguém da escola?

X: Não, nunca gostei de ninguém na verdade.

A: A gente não é gato o suficiente pra você?

X: Definitivamente não.

A: Bosta. Minha vida acabou!

X: Você só quer que eu fale que você é gato.

A: Você acha que eu sou gato?

X: Ainda tô decidindo ☺

Terça-feira, 25 de setembro

O que eu não falei para Caridad na aula de crisma

Eu queria dizer que se Aman fosse um poema,
ele seria escrito em letras inclinadas pela página,
linhas nítidas, uma frase de efeito espirituosa,
escrita em uma sacola de papel pardo de mercado.

Suas mãos, escrevendo nossos relatórios com cuidado,
se tornaram metáforas,
seu sorriso, a símile mais doce e menos clichê.

Ele não é elegante o bastante para um soneto,
bem bolado demais para a poesia de versos livres,
ocupa espaço demais nos meus pensamentos
para caber em um pequeno haiku.

Sermões

"*Mira, muchacha...*

(Não sei se dá para revirar os olhos
com tanta força em pensamento
que um estranho seria capaz de usá-los
como um par de dados, mas, caso sim,
alguém acabou de se dar mal no jogo)...

quando eu estava te esperando,
vi você de conversinha com Caridad
no meio da aula.
Não se deixe distrair,
nem afaste a si mesma ou aos outros
de la palabra de dios."

E embora a noite esteja fria,
o calor do verão já no fim,
o suor explode na minha testa,
minha língua parece inchada,
seca e pesada com tudo o que não posso dizer.

Recado da Sra. Galiano no Trabalho 1

Xiomara,

Embora você diga que está só "vestindo seus pensamentos
em panos de poemas", percebi que muitos dos seus trabalhos são
bastante poéticos.
Eu fico me perguntando por que você não se considera uma poeta?

Adorei que seu irmão lhe deu um caderno que você ainda usa.
Você deveria vir ao clube de poesia. Tenho a impressão
de que aprenderia muito.

— G

Às vezes alguém diz alguma coisa

E as palavras são como o piloto do fogão,
o *clique, clique* enquanto você espera
a chama pegar e subir, grande e azul...
É isso o que acontece quando leio o recado da Sra. Galiano.

Uma luz forte se acende em mim.

Mas eu amasso o recado e o trabalho,
e jogo tudo fora no lixo da cantina.
Porque todo dia a ideia de um clube de poesia é como a maçã
de Eva:
algo que eu posso desejar, mas nunca vou ter.

Sexta-feira, 28 de setembro

Ouvindo

Hoje quando eu sento com Aman no banco,
espero que ele me passe os fones,
mas ele brinca com meus dedos em vez disso.

"Nada de música hoje, X.
Quero ouvir você.
Lê alguma coisa para mim."

Na mesma hora, eu congelo.
Porque eu nunca, *nunca* leio meu trabalho.
Mas Aman só fica ali sentado, esperando.

E, com o coração disparado,
eu pego meu caderno.
"Nem pense em rir."

Mas ele só se recosta no banco e fecha os olhos.
Então, eu leio para ele.
Baixinho. Um poema sobre Papi.

Meu coração martela no peito,
e a página treme quando eu viro,
e corro pelas palavras.

E quando termino, não consigo olhar para Aman.
Me sinto tão nua quanto se tivesse me despido na frente dele.
Mas ele só continua a brincar com meus dedos.

"Me faz pensar na minha mãe que não está aqui.
Você tem talento, X. Topo ouvir mais quando quiser."

Coisa de mãe

Aman e eu não falamos muito sobre as nossas famílias assim.
Eu conheço as regras. Não se pergunta sobre os pais das pessoas.
A maioria só tem uma pessoa em casa,
e essa pessoa nem sempre é o doador do óvulo ou do esperma.
Mas eu sinto que ao mesmo tempo falei demais e não o bastante
sobre Papi.
E agora quero saber mais sobre a família de Aman.

"Você pode me contar sobre a sua mãe? Por que ela não está aqui?"

Sua boca parece fechada à chave.
Ficamos quietos por um momento e não há ruído para disfarçar meu tremor.
Mesmo perdido em pensamentos, Aman percebe,
enfia minha mão presa na dele no bolso do seu casaco.
Fico feliz que o vento frio é uma boa desculpa
para as minhas bochechas vermelhas. Ele finalmente olha para
mim.
Com seus olhos tenta ler algo no meu rosto.

Eu não espero que ele responda.

E aí ele responde

"Minha mãe era linda.
Ela e o Pops casaram quando eram adolescentes.
Ele veio para cá primeiro, depois mandou nos buscar.

Eu já era grande o bastante
para lembrar de Trinidad:

a palmeira atrás da casa da minha vó,
o gosto das mangas do quintal,
a música na voz toda vez que alguém fala.

Eu era pequeno o bastante para aprender como meu sotaque
podia ser enrolado entre meus lábios com força
até que este país o expulsasse,
e substituísse pelo 'inglês bem falado'.

Minha mãe não veio, sabe.
Ela ligava todo dia no início,
e sempre me dizia a mesma coisa:
estava 'resolvendo algumas coisas.' 'Vamos ficar juntos logo.'

Ela liga todo ano no meu aniversário.
Eu parei de perguntar quando ela vem.
Pops e eu estamos bem.

Eu aprendi a não ficar com raiva.
Às vezes, a melhor forma de amar uma pessoa
é deixar que ela se vá."

Afeto

Aman e eu saímos do nosso parque,
mas em vez de irmos direto para o trem,
pulamos a estação mais próxima, depois, a seguinte.
Ficamos em silêncio o caminho todo
Sem palavras, concordamos
que vamos caminhar assim o máximo que der:
minha mão   presa   na sua   presa
no bolso do casaco. A gente se mantendo
quente contra o frio silencioso.

Terça-feira, 9 de outubro

As próximas duas semanas

Passam como um trem expresso,
e antes que eu perceba,
outubro esfriou o ar,
e estamos todos enrolados em
casacos e jaquetas.

Eu tento evitar a Sra. Galiano,
que sempre me lembra de que
eu seria muito bem-vinda
no clube de poesia.

Aman e eu temos diferentes
intervalos, mas caminhamos juntos
até a estação depois da escola,
ouvindo música ou só aproveitando o silêncio.

Acho que nós dois queremos fazer mais,
mas eu ainda sou muito tímida, e ele ainda é muito... Aman.
O que significa que ele nunca me pressiona,
e eu acabo me perguntando se ele é respeitoso,
ou se apenas não gosta de mim desse jeito.

Mas ele não estaria passando tanto tempo comigo
se não estivesse a fim de mim, certo?
E, embora eu ainda queira ficar sentada durante a comunhão,
eu me levanto toda vez, coloco a hóstia na boca,
e depois a grudo embaixo do banco.
Minhas mãos tremem menos a cada vez.

O mais difícil são as terças.
Quando fico na aula de crisma
sabendo que poderia estar no clube de poesia,
ou escrevendo, ou fazendo qualquer outra coisa
que não tentando não ouvir tudo o que o padre Sean diz.

E eu finjo bem.

Pelo menos até o dia em que
eu abro minha boca, em geral calada,
e decido perguntar ao padre Sean
sobre Eva.

Eva,

o padre Sean explica,
poderia ter feito uma escolha melhor.

Sua história é uma parábola
para nos ensinar a lidar com a tentação.

Resistir à maçã.

E, por algum motivo,
seja pelo que estou aprendendo

na escola e na vida,
acho que tudo isso parece uma bobagem.

Então, é o que eu digo. Em voz alta. Para o padre Sean.
Ao meu lado, Caridad fica paralisada.

“Eu acho a história do Gênesis uma bobagem completa”

“Deus fez a Terra em sete dias?
Incluindo os humanos, certo?
Mas na aula de biologia a gente aprendeu
que os dinossauros existiram na Terra
por milhões de anos
antes de outras espécies...
a não ser que os sete dias sejam uma metáfora?
Mas e a história dos humanos evoluindo
dos macacos? A não ser que a criação de Adão
seja uma metáfora também?
E essa tal maçã,
por que Deus não explicou
que eles não podiam comê-la?
Ele deu a Eva curiosidade,
mas não esperava que ela a usasse?
A não ser que a maçã seja uma metáfora?
A Bíblia inteira é um poema?
O que *não* é uma metáfora?
Alguma dessas coisas *realmente* aconteceu?”

Eu recupero o fôlego. Olho em volta.
Caridad está vermelho-fogo.
Os garotos mais novos estão em silêncio,
observando como se fosse uma luta de MMA.

E o rosto do padre Sean está
tão duro quanto o altar de mármore.

“Por que você não fica para conversar comigo
depois da aula, Xiomara?”

Enquanto estamos nos arrumando para ir

C: Xiomara, se o padre Sean conta alguma coisa para a sua mãe,
vai ser uma confusão danada...

X: E daí? A gente não deveria ser curioso
sobre as coisas que ouve?

C: Escuta, não fica irritada comigo, Xiomara.
Só estou tentando te ajudar.

X: Eu sei, eu sei. Mas... eram só perguntas.
Os padres não são obrigados a guardar segredo?

C: Aquilo não foi uma confissão, Xiomara.

X não fala: Não foi?

Padre Sean

Me diz que
pareço distraída na aula de crisma.

Me diz que
talvez tenha algo que eu queira discutir além de Eva.

Me diz que
é normal ter curiosidade sobre o mundo.

Me diz que
o catolicismo abraça a curiosidade.

Me diz que
eu deveria encontrar paz em uma religião clemente.

Me diz que
a igreja vai me apoiar se eu precisar.

Me diz que
talvez eu devesse conversar com a minha mãe.

Me diz que
um diálogo aberto e sincero é bom para amadurecer.

Me diz
muitas coisas, mas nenhuma delas responde nada do que eu
perguntei.

Respostas

Depois do sermão do padre Sean, ele parece esperar que eu
responda.

Eu observo a foto atrás da sua mesa.
É um retrato dele em um ringue de boxe segurando luvas
douradas.

"Você ainda luta, padre?"

Ele inclina a cabeça, os lábios se erguendo um pouco.

"De vez em quando eu subo no ringue para me manter em forma.
Definitivamente não luto tanto quanto antigamente.
Nem todas as lutas podem ser vencidas com luvas, Xiomara."

Eu me levanto. Digo para o padre Sean que não vou perguntar
mais sobre Eva.
Vou embora da igreja antes que *ele* pergunte para *mim* algo que
não posso responder.

Rascunho Trabalho 2 — Últimos parágrafos da minha biografia

E foi assim que Xiomara,
de mãos nuas, lutou com o mundo
para que a chamassem pelo nome certo,
para que não esperassem que fosse santa,
para que a respeitassem como mulher.

Ela soube desde pequena
que o mundo não cantaria seus triunfos,
mas pegou todos os estereótipos
e os prendeu entre os braços
até que a verdade fosse sua última respiração.

Xiomara pode ser lembrada
como muitas coisas: estudante,
milagre, irmã protetora,
filha incompreendida,

mas o mais importante é que
deve ser lembrada pela
luta constante para se tornar
a lutadora que queria ser.

Versão final do Trabalho 2 (o que eu realmente entreguei)

Xiomara Batista
Segunda-feira, 15 de outubro
Sra. Galiano
Últimos parágrafos da minha biografia

As realizações de Xiomara podem ser resumidas em alguns feitos importantes. Ela foi uma escritora que criou uma organização sem fins lucrativos para ajudar adolescentes imigrantes. Seu centro ajudava jovens mulheres a explicar para a família por que deveriam permitir namoros, se mudar quando entram na faculdade ou quando chegam aos dezoito anos... também a como descobrir o que elas queriam fazer da vida. Era uma organização que ajudava milhares de meninas e jovens, e embora nunca tenham construído uma estátua dela do lado de fora do prédio (ela teria odiado isso), eles penduraram uma selfie dela em tamanho grande na diretoria.

Como seus pais estavam tristes porque o bairro tinha mudado, pois não havia mais famílias latinas e as bodegas e *sastrerías* todas tinham fechado, Xiomara usou o dinheiro que ganhou com seus livros para comprar uma casa para eles na República Dominicana. Embora nunca tenha se casado ou tido filhos, Xiomara era feliz com seu pit bull em uma casa de tijolos vermelhos no Harlem, próxima de onde cresceu. Seu irmão gêmeo morava na mesma rua.

Mãos

Na aula de biologia,
Aman começou a encontrar minha mão
embaixo da mesa.

Espero não suar
enquanto seus dedos brincam de leve
com a minha palma.

Me pergunto se ele está nervoso
como eu. Se está disfarçando
como eu.

Fingindo que já brinquei
com a mão de alguém
e fiz até mais.

E embora
eu já tenha sonhado com ele,
tem alguma coisa diferente

em tocar em um menino
na vida real. Em carne e osso.
Em uma sala de aula. Mais de uma vez.

A mão dele acendendo uma chama
no meu corpo.

Dedos

Na cama à noite,
meus dedos buscam
um calor que não tem nome.

Penetrando um centro,
encontrando um coração oculto,
um caule, ou talvez   a raiz.

Estou aprendendo a acariciar
e respirar ao mesmo tempo.

A ficar quieta
e sentir algo crescer
dentro de mim.

E quando tudo explode,
me afundo no colchão.
Sinto uma liberação. Um alívio.

Sinto uma vergonha
se instalar como um cobertor
que me cobre dos pés à cabeça.

Provocar em mim mesma essa sensação
é sujo, não?
Então, como é tão bom?

Terça-feira, 16 de outubro

Papo de igreja

"Então, você vai na igreja à beça, né?",
Aman me pergunta na nossa caminhada até a estação.

E todas as palavras que tenho
se jogam da minha língua ao chão para a morte.
Porque é isso.

Ou ele vai achar que
eu sou uma maluca de igreja
que é certinha demais pra qualquer coisa,

ou ele vai achar que eu sou
uma maluca de igreja tentando agarrar
o primeiro garoto que aparece.

"X?"

E eu tento me concentrar nisso,
em como eu adoro esse novo apelido.
Como é uma letrinha muito pequena,
mas que me comporta inteira.

"Xiomara?"
Finalmente eu olho pra ele.

"É. Minha mãe curte muito igreja,
e eu vou com ela pra missa e pra aula de crisma."

"Então, sua mãe curte muito a igreja;
mas e você, o que você curte muito?"

E então, eu solto o ar que estava prendendo.
E antes que me dê conta, estou falando
as palavras que já escaparam da minha boca.

"Você já sabe que eu curto poesia."

E ele balança a cabeça. Olha pra mim e parece decidir alguma coisa.
"Então, qual é o seu nome artístico, Xiomara?"

E eu fico tão feliz por ele ter mudado de assunto.
Que respondo antes até de pensar:
"Eu sou só escritora... mas posso ser a Poeta X."

Ele sorri. "Acho que combina muito bem."

Arrebatamento

Em física nós aprendemos
que condutividade térmica
é como o calor flui por
alguns materiais melhor do que por outros.
Mas quem diria que palavras,
ditas pela pessoa certa,
por um menino que faz sua temperatura subir,
transmitem calor como nada mais?
Disparam uma corrente de quentura
dos pés ao último fio de cabelo?

Telefone

O Gêmeo não me pergunta para quem mando mensagens
tão tarde da noite que o brilho
do meu telefone é a única luz
em toda a casa.

E eu não lhe digo
nem escondo o que faço
debaixo do cobertor.

Eu nunca fui muito simpática,
e Caridad é a única pessoa com quem
a gente conversa de verdade, a não ser quando estou
em um trabalho em grupo da escola ou coisa assim.

Mas agora eu tenho Aman,
doce e paciente Aman,
que me manda letras do Drake
que ele diz que o fazem pensar em mim,

e me pede para sussurrar meus poemas de volta.
Que nunca se cansa da minha escrita
e sempre pede mais um.

O Gêmeo não pergunta para quem mando mensagens,
embora eu saiba que ele gostaria de saber,
porque eu gostaria de saber para quem ele está escrevendo
também.

O motivo pelo qual ele sorri mais agora.
Das risadinhas no escuro,
o brilho do telefone me indicando

que nós dois temos segredos a esconder.

No café da manhã

O Gêmeo está cantarolando baixinho
enquanto despeja leite no cereal.

Fico olhando para ele enquanto bebo meu café.
Ele corta uma maçã e me dá metade.

Ele sabe que eu gosto de maçãs,
mas ainda é estranho que ele pense nisso.

"Gêmeo, você tá rindo mais ultimamente.
Essa pessoa tem nome?"

E minhas palavras fazem o sorriso
escorregar e sumir do rosto dele na hora.

Ele balança a cabeça,
afasta o cereal.

Ele brinca com a tolha de mesa.
"É por isso que *você* está sorrindo tanto?"

E, para esconder minha vergonha,
eu bebo o resto do café.

"Só estou feliz; sabe o que a gente tem que combinar?
Nosso filme de terror de Halloween. Eu e você."

E nós dois dizemos ao mesmo tempo:
"E Caridad."

Gato bravo, X feliz

C: Garota, esse meme do gato bravo me lembrou de você.

X: Fala sério. Que boba. Eu ia te mandar uma msg.
Filminho de terror no Halloween?

C: Dã! Tudo bem aí? Como tá com o menino?

X: Tudo bem... Ele é legal.

C: Pq "..."?

X: Eu sei que você não aprova.

C: Xio, eu só não quero que você arrume confusão.
Mas eu gosto de te ver feliz... Tipo *esse* meme do gatinho feliz.

Sexta-feira, 19 de outubro

Sobre gostar de alguém

O parque está vazio de novo.
E estou muito feliz por a gente finalmente
ter outra tarde de folga.

O dia se estende à nossa frente.
Mami não vai me ligar. Ainda está no trabalho.
A escola de gênios do Gêmeo tem outro horário.
Caridad nunca manda mensagem durante a aula.

Somos só eu e Aman,
e a mão dele tocando meu rosto
para colocar o fone em mim.

"Você já fumou baseado?"

Eu balanço a cabeça.

"Saquei. Drake é incrível quando você tá chapado.
Mas dá pra ouvir mesmo assim."

Então, eu fecho os olhos,
apertando meu ombro junto ao dele
enquanto ele baixa o iPhone entre nós,
enquanto ele baixa a mão na minha coxa.

Música

Para A

Tocar a base do seu pescoço
me deixa feliz   por estar viva.
Olhos fechados   mãos unidas.
Não respire,   e talvez
a gente viva   assim para sempre.
É bobeira,   mas tudo o que
você sussurra   soa como poesia.
Senti   sua   falta.

Isso era para ser uma pergunta.

Não um poema   confissão,   ou seja lá o que virou.
Eu só queria   saber se   você quer ouvir
comigo   o som   dos nossos corações.

Terça-feira, 23 de outubro

Toca o alarme

O dia que se torna O DIA
começa bem normal. Mesmas aulas,
e nada muda até o último tempo de biologia.

É a primeira terça-feira
desde o episódio da Eva,
e faltando meia hora pra aula acabar,
um alarme de incêndio toca.

O Sr. Bildner suspira e para o Power Point
que estava nos mostrando como Darwin
sacou os pintassilgos.

Aman aperta minha mão por baixo da mesa
e fica de pé. Coloca a bolsa no ombro
(ele nunca guarda no armário).

Antes que eu perceba o que estou dizendo,
as palavras escapam como pedrinhas da minha boca:
“A gente podia ir pro parque.”

Elas caem em silêncio. Ele inclina a cabeça.
“Você sabe que o Bildner vai fazer a chamada
se for um alarme falso?”

As turmas ficam em fila para sair,
e enquanto estamos todos apertados,
minha bunda bate na frente de Aman.
Eu não me mexo.

Sussurro por cima do ombro:
"Vamos mesmo assim."
Aman puxa um cacho do meu cabelo com o dedo.

"Eu não sabia que você gostava tanto do Drake
a ponto de matar aula."

Eu me inclino para trás,
sentindo meu corpo apertar o dele.
"Não é do Drake que eu gosto."

O dia

Estamos lado a lado
sentados no nosso banco do parque.

Aman passa o braço por cima dos meus ombros
e me puxa para perto.

Hoje não tem fones,
nem música, só nós.

Seus lábios tocam minha testa,
e eu tremo com algo que não é frio.

Seus dedos erguem meu queixo;
minhas mãos ficam suadas na hora, e não consigo olhar para ele,

então, encaro suas sobrancelhas: bem marcadas,
sem pelos soltos, mais bonitas do que as de qualquer menina,

e me aproximo tentando descobrir
se ele faz com cera ou pinça.

Ele se aproxima também, e eu sei
que tenho um segundo para decidir.

Então, aperto minha boca na dele.

Seus lábios são macios contra os meus.
Devagar, ele morde meu lábio inferior.

E então, sua língua escorrega para a minha boca.
É mais estranho do que eu imaginava.

Ele deve perceber, porque
sua língua se mexe mais devagar.

E meu coração é um dos pintassilgos de Darwin tentando voar.

Quereres

Por mais que meninos e homens
já tenham me dito todas as coisas
que gostariam de fazer com o meu corpo,
esta é a primeira vez que eu realmente quero
que façam uma dessas coisas comigo.

Na minha estação

Meu trem para devagar na estação,
então, afasto minha mão da de Aman.
Ele me olha com uma dúvida no olhar,
e eu sinto o calor queimar minhas bochechas.

Ele está me perguntando alguma coisa,
mas não consigo ouvir uma palavra,
porque fico me distraindo olhando seus lábios
e pensando que agora sei o gosto deles.

"X, você me ouviu?
Te mando uma mensagem depois. Será que a gente pode sair
no fim de semana?
Você vai na festa de Halloween do Reuben?"

Eu desço do trem sem lhe dar uma resposta,
sem acenar para ele pela janela.
Com coisas demais a dizer e absolutamente nada a dizer.

O que eu não digo para Aman

Eu não posso namorar.
Eu não posso ser vista com garotos na minha rua.
Eu não posso receber ligações de meninos no celular.
Eu não posso segurar a mão de um menino.
Eu não posso ir à casa de um menino.
Eu não posso chamar um menino para a minha casa.
Eu não posso sair com um menino e seus amigos.
Eu não posso ir ao cinema com qualquer menino além do Gêmeo.
Eu não posso ir à matinê do clube.
Eu não posso namorar.

Eu não posso me apaixonar.

Sempre que trocamos mensagens tarde da noite,
eu evito mencionar possíveis planos.
Eu digo que só quero aproveitar o momento.

Porque não quero dizer a ele todas as coisas que eu não posso fazer.

Mas eu também não poderia beijar um menino no parque...
e, mesmo assim, foi isso o que eu fiz.

Carimbos de beijos

Depois, quando entro na crisma,
sei que estou usando o beijo de Aman
como um casaco vermelho-fogo.
Qualquer um que olhar para mim
vai saber que eu sei o que significa querer.
Desse jeito. Porque eu não queria parar de beijá-lo.
E a gente não parou.
Até que suas mãos subiram por baixo
da minha blusa, e eu pulei pelo frio.
Talvez eu tenha pulado por outra coisa.
Culpa? Por como estamos indo rápido?
Eu não sei, mas sabia que era hora de parar.
Mas eu não queria.
Quer dizer, acho que queria.
É confuso saber que
não é para fazer uma coisa,
que pode ser demais,
mas querer fazer isso mesmo assim.
Eu não converso com Caridad,
nem faço contato visual com ninguém,
nem questiono o padre Sean,
nem olho para a cruz
carregando um Deus onisciente que, se existir,
viu tudo, *tudo*
o que aconteceu naquele parque.

E o quanto eu gostei.

A última garota de quinze anos

Tá bom. Eu sei. Não é nada demais beijar um menino.
É só um beijo, um pouco de língua, crianças se beijam o tempo
  todo,
provavelmente não de língua (isso seria estranho).

Meninos querem me beijar
desde que tenho onze anos, e, na época, eu não queria beijá-los.
E eram uns garotos mais velhos, até homens feitos,
me dando umas olhadas estranhas, e Mami falou que eu tinha
  que rezar ainda mais
para o meu corpo não me arrumar problemas.

E eu soube o que já sabia desde que minha menstruação veio:
meu corpo era um problema. Eu tinha que rezar para tirar os
  problemas
do corpo que Deus me deu. Meu corpo era um problema.
E eu não queria que nenhum daqueles garotos o resolvesse.
Eu queria esquecer que tinha qualquer coisa a ver com este corpo.

Então, quando todo mundo no ginásio brincava de verdade ou
  consequência,
ou quaisquer que fossem as desculpas para dar seu primeiro beijo,
eu estava escondida em camisetas largas, eu estava escondida
  num silêncio duro,
tentando transformar este corpo em uma equação invisível.

Até agora. Agora eu quero que Aman equilibre meus quadris,
deixe suas digitais por toda a parte... para mostrar a todos o seu
  trabalho.

Preocupações

O padre Sean me pergunta: as coisas vão bem?
E por um segundo eu penso que ele sabe do beijo.
Que por alguma premonição divina,
ou habilidade psíquica... ele sabe.

Mas aí eu vejo ele olhando para o altar
para o cálice coberto cheio de vinho,
para o prato que carrega as esferas macias do corpo de Cristo.

Eu tô bem. Eu tô bem. Eu tô bem. Eu não digo.
Só dou de ombros. Olho para longe.

"Todos nós temos dúvidas às vezes", ele me diz.
Eu olho bem nos olhos dele: "Até você?"

Ele me dá um sorrisinho que o faz parecer mais jovem...
Você já olhou para alguém que conhece
a vida toda e é quase como se o rosto da pessoa
se transformasse bem na frente dos seus olhos?

O sorriso do padre Sean faz ele parecer diferente,
e consigo imaginar o jovem que ele já foi.

"Principalmente eu. Minha vida toda eu quis ser boxeador,
atleta. Achei que meu corpo fosse minha saída
das circunstâncias terríveis em que eu vivia. Em vez disso,
foi o corpo de Cristo que me tirou de lá,
mas às vezes sinto falta da ilha. Da minha família.
Minha mãe morreu, e eu não cheguei a tempo de me despedir.
Todos nós duvidamos de nós mesmos e do nosso caminho às vezes."

Quero dizer que sinto muito, para trazer de volta o sorriso do
jovem padre Sean,
mas em vez disso só balanço a cabeça.

Algumas coisas não precisam de palavras.

O que o Gêmeo sabe

"Gêmeo, você sabia que a mãe do padre Sean morreu?"

O Gêmeo tira os olhos do celular, distraído,
os dedos digitando acelerados.
Tento ler por cima do seu ombro, mas ele vira
a tela para baixo na mesa.

"Aham, ela morreu três anos atrás.
Por que você tá falando disso?"

E eu não sei como eu não sabia.
Como eu não percebi que o padre Sean não estava aqui,
ou percebi a pessoa que ficou no lugar dele nos sermões.
Será que eu já estou distante da igreja há tanto tempo assim?

Eu não faço nenhuma dessas perguntas para o Gêmeo.
Ele já voltou para o celular.

"Com quem você tá falando tanto ultimamente?"

A pergunta passa pelos meus lábios,
e eu paro com um dos meus fones
a meio caminho da orelha.
O Gêmeo nunca teve segredos comigo.

Seus dedos param na frente do celular.
E ele me olha por um longo, longo tempo.

"Xiomara, a gente não precisa fazer isso, tá?
Talvez com qualquer outra pessoa a gente tivesse que explicar.
Mas nós dois sabemos que estamos fazendo merda,
e que Mami e Papi vão nos matar se descobrirem."

Eu quero assentir, mas também quero dizer que não.
Nossos pais sempre disseram que as expectativas para
la niña de la casa são diferentes das do Gêmeo.
Se ele trouxesse uma menina pra casa eles provavelmente bateriam
palmas.

Eu não sei o que eles fariam
se não fosse uma menina.

Uma nuvem sobre a minha cabeça

Nos próximos dias,
espero Aman
falar de novo sobre a festa de Halloween.
Mas ele segura minha mão na aula,
me leva até a estação de tarde,
me beija antes de eu ir para a plataforma,
e não comenta sobre a festa.
Será que ele não quer mais que eu vá?

Sexta-feira, 26 de outubro

Sexta

Normalmente é meu dia favorito da semana.
Mas hoje de manhã recebi uma mensagem do Aman
que deixou todo o meu dia amargo:

A: Tenho médico hj.
Não vou pra escola.
Te vejo na festa?

E eu sei que vão ser
dois longos dias
entre agora e a próxima vez que o vir.

A não ser que eu descubra algum jeito...

Roxo e triste

Que tipo de gêmea eu sou
que nem noto
quando meu próprio irmão
volta pra casa com o olho roxo?

Quer dizer, eu notei, mas só quando
ouvi Mami gritando com ele à noite
quando ele foi pegar
alguma coisa na geladeira.

"*¿Y eso, muchacho? ¿Quién te pegó?
¿No me digas que fue Xiomara?*"

Mas já estou quase na cozinha,
tirando o queixo dele das suas mãos,
inspecionando o olho eu mesma.
Não digo uma palavra a ele,
e o rosto do Gêmeo se retrai na minha mão.

"*No es nada.*
Foi só uma confusão."

E embora ele esteja respondendo a ela,
seus olhos imploram a mim.

"É, parece que algum idiota
confundiu sua cara
com um saco de pancada."

Mami olha pra mim, depois, pra ele,
provavelmente só entendendo algumas palavras,
mas até ela sabe   quando é coisa de gêmeo.

Aperto

Estou tão irritada
com o Gêmeo
por não ter me falado
que alguém na escola
estava enchendo ele
que paro de falar.

É uma sexta silenciosa.

No sábado
eu acordo
com uma sensação diferente
de aperto na minha barriga.
Quero ir à festa.
Quero ver Aman.

Os garotos da minha vida
vão me enlouquecer
de um jeito ou de outro.

Sábado, 27 de outubro

Desculpas

X: Ei, olha, você ficaria muito chateada
se eu não fosse no cinema com você e o Gêmeo...

C: Isso tem a ver com o tal menino?

X: Mais ou menos... Vou dizer pra minha mãe que estou com vocês.
Vou chegar em casa na mesma hora.

C: Ele está te fazendo mentir pra sua mãe?

X: Ele não está me incentivando a fazer nada. Só vou encontrar ele numa festa.

C: Presta atenção, Xio... Seu irmão anda esquisito.
Tem certeza de que ele vai ao cinema?

X: É... tem várias coisas rolando com ele. Não pergunte sobre o olho roxo.
Mas ele vai.

C: Olho roxo? Você bateu nele, Xiomara?

X: Por que todo mundo fica perguntando isso? Não!
Mas eu vou bater no cara que bateu nele.

C: Não piora as coisas.
Você sabe que seu irmão odeia confusão.

X: Eu sei, eu sei. Valeu por não ficar puta comigo.

C: Só não me aparece prenhe. Sou nova demais pra ser madrinha.

Fantasia pronta

Eu saio com o Gêmeo para "o cinema",
mas nos separamos
quando chegamos à esquina.

Ele vai na direção da casa da Caridad,
e eu sigo para a estação
indo para o Heights.

A um quarteirão da casa do Reuben,
entro no banheiro de uma Starbucks,
e coloco sombra verde nos olhos e ajeito o cabelo.

Puxo a bainha da camiseta do Lanterna Verde do Gêmeo
(fica apertada nos meus peitos e mostra um pouco a barriga.
Ainda bem que Mami não me pediu pra ver a roupa por baixo
do casaco.)

e pronto — uma fantasia tosca de super-herói.

A festa na casa do Reuben

Quando chego ao endereço no Heights,
sei que cheguei cedo demais.

Só tem uma meia dúzia de pessoas,
que, como eu, fizeram tentativas malfeitas de fantasia.

Vejo algumas pessoas que conheço da escola,
mas ninguém com quem andaria.

Esse é o pessoal festeiro: barulhentos, bagunceiros,
que fumam durante as aulas,
e bebem a Mamajuana dos pais nos fins de semana.

Alguém me dá um copo de uma bebida frutada,
mas eu o deixo no aparador da TV e me apoio na parede.

Não olho para o relógio piscando no DVD;
não olho para o celular.
Coloquei um alarme para me avisar quando devo ir.

Por enquanto só escuto o barulho, a música,
ignoro o grupo de garotos que me encara perto das caixas de som.

Quando alguém toca minha mão, me preparo, faço cara feia,
mas quando viro, é o Aman. Brincando com meus dedos,
sorrindo.

"Não achei que você ia conseguir vir.
Quer alguma coisa pra beber?"

Balanço a cabeça, não. E vejo sua roupa. Ele se dedicou.
O rosto pintado de verde, o cabelo arrepiado, a camiseta recheada com algo

seu corpo magro inteiro tentando parecer o Hulk.
Não consigo segurar a risada, e ele só sorri mais.

"Fomos feitos um para o outro", ele sussurra.
"Nós dois escolhemos heróis verdes."

Alguém baixa as luzes.
Aman puxa minha mão. "Dança comigo?"

Uma música

Quando Aman pergunta, meu coração dispara.
Porque o que está tocando não é bachata, ou merengue, ou algo
com uma coreografia e espaço.

Essa música é do tipo em que você fica perto.
Eu me afasto da parede, e Aman se ajeita na minha frente,
as mãos nos meus quadris.

Fecho os olhos e limpo minhas mãos suadas
nas costas da camiseta dele; estamos imprensados um no outro,
balançando, a boca dele perto do meu pescoço.

As ombreiras embaixo da fantasia
me dão algum lugar em que colocar as mãos,
e fico feliz por pelo menos termos um enchimento entre nós.

Aí a perna dele está entre as minhas,
e estamos dançando bem como as pessoas dançam
nos videoclipes.

Como se, caso não estivessem de roupa,
elas estariam... você sabe.
Estou sentindo ele todo. Não tão mirrado quanto pensei.

Quando a música termina,
começa outro reggae, e Aman
dá a volta para ficar atrás de mim.

Seu corpo se esfrega no meu,
e é muito bom.
Eu me afasto dele.

"Preciso de um ar."

Sentada na calçada... com Aman

Do lado de fora do prédio do Reuben,
o Heights está pegando fogo.
Pessoas usando mil fantasias diferentes,
rindo, e gritando, e cantando,
era de se pensar que era de manhã, e não nove e meia da
noite.

Aman segura minha mão na dele,
mas toda vez que olho pra ele
tenho medo de que meu rosto vá pegar fogo,
vermelho-vivo, então não olho.

E é aí que ele joga a bomba:
"Eu não moro longe daqui."
E não sei se ele quer dizer
que quer que eu vá para casa com ele,
ou se só está falando por falar.

"Seu pai não está em casa?"
Eu realmente espero que o pai dele esteja em casa.
Aman balança a cabeça.
Diz que o pai trabalha hoje à noite.

Eu tiro minha mão da dele.
Não consigo impedir meus dedos
de tremer.
Não preciso fingir quando digo

não me sinto bem.
Melhor ir para casa
tomar um chá ou qualquer coisa assim.
Me levanto para ir, mas, antes,
Aman puxa minha mão:

"Lê um poema pra mim, X?
Quero lembrar da sua voz
quando pensar sobre hoje."

E aí ele ri de novo,
e me puxa para baixo ao seu lado.

Papo com Caridad

X: Estou indo pra casa.

C: Ainda bem, porque Gêmeo e eu estamos na esquina faz mil anos.

X: Valeu de novo. Eu sei que você odeia mentir.

C: É. Bem, é bom que tenha valido a pena.
Valeu a pena?

X: Foi... muitas coisas. Estou sentindo muitas coisas. Mas foi legal.

C: ???

X: Não pode durar. Alguma coisa vai dar errado.
De jeito nenhum eu posso ser feliz e ao mesmo tempo ignorar *todas* as regras.

C: Talvez fosse melhor não ignorar?

X: Ah, Caridad. Mal posso esperar para você gostar de alguém...
Vou te mandar todas essas mensagens espertinhas também.

C: Chega, garota. Do jeito que você é esquentada?
Nunca vai ser tão sábia quanto eu ☺.

Domingo, 28 de outubro

Trançado

Passo a missa inteira pensando em Aman.
E dá pra ver que Mami quer me dar uma bronca
por não prestar atenção.
Mas ainda bem que, quando saímos da igreja,
Caridad puxa minha mão.

"*Señora* Batista, tudo bem
se a Xiomara vier comigo e trançar meu cabelo?"
Dá para ver que Mami quer me dar uma lição,
mas ela nunca consegue dizer não à Caridad.

Na casa dela, Caridad senta entre as minhas pernas,
e passo o pente pelo cabelo longo e grosso.
Aprendi a trançar quando Mami
não tinha mais tempo para fazer o meu cabelo.

"Duas tranças compridas? Posso te deixar
que nem a Cardi B para o Halloween."
Adoro a estrela do reality, mas ela é tudo o que Caridad não é.
Caridad dá um risinho e concorda.
"Claro. Vou colocar uns episódios antigos de *Love & Hip Hop*
pra você se inspirar."

Mesmo depois que já terminei, ficamos ali e assistimos a mais
dois episódios.
Talvez a única coisa que tenha que fazer sentido
sobre ser amigo de alguém

é que você tem que ajudar o outro a ser a melhor versão de si
mesmo
todos os dias. Que tem que lhe dar um lar
quando ele não quer ficar no seu próprio.

Pelo menos tenho a impressão de que, se eu perguntasse, seria
exatamente
isso o que Caridad diria.

Amanhã vai ser um puta longo dia.
Mas agora, aqui, neste exato momento, está tudo bem.

Segunda-feira, 29 de outubro

Brigas

Na tarde de segunda,
me apoio no portão da escola de gênios do Gêmeo.
Quando Aman me perguntou por que eu ia pegar o metrô
para o Centro,
eu o distraí com um beijo, mas com certeza ele vai falar nisso
de novo.
Muita coisa aconteceu esse fim de semana,
mas ainda me preparei para o que sabia
que teria que fazer esta tarde.

O Gêmeo sai da escola uma hora depois de mim,
e quando o pessoal começa a sair depois do sinal
vejo o Gêmeo arrastando os pés na minha direção, mas não
está só.

Está com um menino alto e ruivo,
com dedos cor de leite
que tiram fiapos do casaco do meu irmão
como Aman às vezes aperta minha mão.

Xavier.

O nome do Gêmeo nunca deixa meus lábios,
mas de algum jeito ele me ouve pensar.
Sua cabeça se ergue na minha direção
como um boneco de mola.

Ele se afasta do menino branco tão rápido
que quase tropeça nos cadarços.
Eu olho para os dois, confirmando o que sempre soube.
O Gêmeo corre até mim e fala no meu ouvido.

“Xiomara, o que você está fazendo aqui?”

E não preciso dizer a ele
que vim acertar a cara de alguém com meu punho.
Redimir seu olho roxo.
Deixar claro que o Gêmeo não está só.

“Você não deveria ter vindo na minha escola.
Eu não preciso mais que você brigue por mim.”

Tem um balão onde meu coração ficava
e o ar é expulso dele com o fio das palavras do meu irmão.
Eu olho para o menino que observa o Gêmeo
com amor escrito no rosto.

“Deixa quieto, Xiomara”,
acho que o Gêmeo diz. Mas soa mais como:
“Me deixa quieto.”

Brigas

Eu não sou idiota, sabe.
Eu sei que não vou ter trinta anos
e continuar brigando com caras adultos.
Eu sei que não vou sempre ser
maior e mais malvada do que os meninos
da minha turma. Eu sei que um dia
eles vão ser mais fortes, bater mais pesado.
Eu sei que não vou para sempre intimidar as garotas
com minha altura, minhas mãos duras.
Eu sei que não vou poder defender o Gêmeo
para sempre. Mas achei que, quando isso acontecesse,
seria porque ele aprenderia a brigar por si mesmo,
e não por achar *outra pessoa* para protegê-lo.

O que não dizemos

No caminho de metrô para casa,
o Gêmeo se esconde nos seus sentimentos
como se fossem um jardim murado
que não tenho direito de visitar.

Ele passa o tempo inteiro
jogando xadrez no celular.

"Gêmeo. Eu sei que você provavelmente se sentiu assim
a vida inteira, mas,
se Mami e Papi descobrirem sobre o Branquelo,
eles de fato vão te matar."

Seus dedos movem uma torre pela tela,
atacando algum oponente imaginário.

"Cody. O nome dele não é Branquelo.
E eu sei o que Mami e Papi vão dizer.
O que você vai dizer também."

Mas nem *eu* sei o que vou dizer.
Só sei que sempre quis mantê-lo em segurança,
mas isso faz dele um alvo

e não posso desviar as flechas que sei que estão chegando.

Gay

Eu sempre soube.
Sem saber.
O que o Gêmeo era.
Nós nunca falamos.
Acho que ele tinha medo.
Acho que eu tinha, também.
Ele é o milagre de Mami.
Ele se tornaria seu pecado.
Acho que eu esperava.
Se eu nunca soubesse *mesmo.*
Seria como se ele não fosse.
Mas talvez meu silêncio.
Só tenha feito ele se sentir mais sozinho.
Talvez meu silêncio.
Reforce as coisas feias que as pessoas pensam.
Tudo o que sei.
É que não sei
como seguir em frente
depois disso.

Me sinto mal quando o Gêmeo está puto

Parte de mim se rebela contra a briga.
Pode parecer idiota, e nem todos os gêmeos são como nós,
mas quando ele está irritado eu fico mal.
Não consigo pensar em nada além de ele estar chateado,
e fico com medo de que qualquer coisa que eu disser vá chateá-lo
ainda mais.
Eu nem sei o que fiz de errado.
Briguei com idiotas pelo Gêmeo a vida toda.
Por que ele achou que eu não ia aparecer na escola?
Nem mesmo os emojis sorridentes de Aman
e links para vídeos românticos antigos do Ja Rule
me fazem sentir melhor.

Rascunho Trabalho 3 — Descreva alguém que você considera incompreendido pela sociedade.

Quando eu era pequena,
Mami era minha heroína.
Porque ela mal falava inglês
e não tinha nascido aqui,
mas não deixava isso impedi-la
de se defender
quando alguém furava fila no mercado,
ou de lutar para colocar o Gêmeo na escola de gênios.
Porque eu nunca vi ela pedir
dinheiro para o meu pai
ou reclamar do emprego.
Porque suas mãos podem estar em carne viva do trabalho,
mas ela ainda as dobra em oração.

Quando eu era pequena,
Mami era minha heroína.
Mas aí meus peitos cresceram,
e embora ela sempre fosse muito rígida comigo,
sua atenção se tornou outra coisa,
como se ela quisesse me transformar
na freira
que nunca conseguiu ser.

Versão final do Trabalho 3 (o que eu realmente entreguei)

Xiomara Batista
Terça-feira, 6 de novembro
Sra. Galiano
Descreva alguém que você considera incompreendido pela sociedade; versão final

Eu sempre considerei Nicki Minaj uma personalidade interessante. Embora ela tenha uma reputação ruim por ser "exageradamente sexual" e por fazer músicas como "Anaconda", acho que a persona que ela retrata nos videoclipes é bem diferente de quem ela é de verdade. Então, a pergunta deveria ser: "A sociedade é capaz de distinguir quem as pessoas realmente são e o alter ego que apresentam ao público?" Por exemplo, Minaj pode ter letras que as pessoas consideram ser más influências, mas por outro lado ela sempre posta no Twitter dizendo para as pessoas não abandonarem a escola.

Eu também acho que a sociedade vê a música dela com maus olhos, dizendo que ela permite que os homens ditem sua relação com o rap, mas muitas músicas dela mostram um olhar positivo em relação à beleza. Ela é bem fornida, e as pessoas sempre falam mal dela por causa do seu corpo e de como ela fala sobre ele e sobre sexo, mas em vez de ficar envergonhada ou de escrever outra coisa, ela celebra as próprias curvas e o que ela quer.

E tudo isso sem falar que ela ARRASA... o que significa que ela tem muito talento artístico! Ela não é só uma ótima "rapper para uma mulher", ela é uma ótima rapper e ponto. Nicki Minaj já fez músicas com alguns dos melhores rappers do mundo. Ela é uma mulher em um meio dominado pelos homens, e lança álbuns que ganham discos de platina. Eu sei que ela não é considerada um modelo para mulheres, como Eleanor Roosevelt ou Madre Teresa, ou mesmo a Beyoncé, mas acho que ela tem muita importância para garotas que não cabem nos padrões da sociedade. Incompreendida? Talvez por alguns. Mas para quem se identifica, nós entendemos.

Quarta-feira, 7 de novembro

Anúncios

No fim da aula, a Sra. Galiano
traz um aluno do seu clube de poesia.

É um garoto porto-riquenho que já vi pela escola,
usa óculos e tem um sorriso gentil.

Ele diz que se chama Chris,
e nos convida para entrar no clube.

Então, declama um poema curto,
usando as mãos e o volume da voz para atrair nossa atenção.

A Sra. Galiano fica olhando, orgulhosa como uma leoa,
e a turma bate palmas meio sem graça, dando soquinhos nos seus ombros.

Chris entrega folhetos para uma competição municipal
e convida cada um de nós pessoalmente para ir a uma reunião do clube.

A competição é daqui a três meses.
8 de fevereiro.

A Sra. Galiano diz que é aberta ao público.
E mesmo que a gente não se inscreva
pode ir e dar apoio ao Chris e aos outros colegas.
E eu sinto meu rosto esquentar.

Eu deveria ir.
Eu poderia competir.

Patinação no gelo

Quando eu era pequena, Mami levava eu e o Gêmeo
para patinar todo ano no nosso aniversário, 8 de janeiro.
Ela trabalhava nos feriados de fim de ano para poder
ter a tarde de folga. Eu sempre considerei a patinação um
presente.

E embora o Gêmeo seja superdescoordenado,
e eu sempre tenha sido uma giganta,
a gente era muito bom na patinação.
Era uma coisa que nós dois sabíamos fazer bem.

A gente ia para o gelo, caindo poucas vezes
antes de começar a girar fácil pelo rinque circular.
Mami ficava atrás do painel de vidro,
sem nunca alugar patins para si.
Só olhando para a gente, círculo depois de círculo depois de
círculo.
Foi uma tradição por anos.

Até que um dia não era mais.
Até que o Gêmeo e eu paramos de pedir.
Até que eu esqueci como era atravessar o frio,
talvez como uma faca, mas mais como uma moça,
patinando com os braços abertos, rindo com o meu irmão,
enquanto a mãe tirava fotos na neve que caía.

Até

Eu esqueci totalmente das aventuras nos patins
que a gente tinha até Aman me chamar para patinar.
Eu digo que tenho que voltar direto pra casa depois da aula,
e meios períodos não vão ser o suficiente.

"E amanhã? É a feira profissionalizante."
E não sei o que dizer. *É* mesmo um dia de folga,
e um em que Mami ainda vai estar no trabalho,
então, não é como se ela soubesse que não vou ficar em casa.

Começo a balançar a cabeça,
depois me lembro de como me sentia livre no gelo,
de como era incrível.
E sei que quero que Aman veja eu me sentindo assim.

Paixão

Acontece que Aman adora esportes de inverno.
É a última coisa que eu imaginaria,
mas ele fala de atletas de snowboard,
esquiadores e patinadores
no mesmo tom que usa para seus rappers favoritos.

"X, falando sério. Até fiz meu pai assinar
o canal de esportes especial para poder acompanhar tudo."

No início, eu acho que ele está brincando, mas pelo jeito como
seus olhos se iluminam,
vejo que é realmente uma paixão dele.
Talvez seja como a minha escrita. Uma coisa secreta que ele ama,
e que nunca sentiu que podia falar para ninguém.

Ele me conta que em Trinidad era fascinado pela neve.
E que assistir às Olimpíadas de Inverno era o mais perto que
chegava disso.
E aí isso se tornou uma paixão maior ainda.

"X, já estou te avisando, eu sou bom nos patins.
Se prepara para se apaixonar amanhã."

E meu coração engasga com a palavra.
Como eu poderia recusar esse encontro?

Girando e girando

O dia seguinte é lindo e perfeito. Eu convido o Gêmeo,
mas ele só me dá as costas e finge dormir.
Ele ainda está chateado por eu ter aparecido na sua escola.
E eu estou tentando não pressionar.

Aman está perto do balcão de aluguel quando chego,
e por toda a volta tem crianças passando às risadas.
Ele estende um par de patins, e depois que os calçamos
e guardamos as coisas no armário, vamos andando sem jeito
para o gelo.

Respiro fundo com a pontada de nostalgia.
Tantas boas lembranças no Lasker Rink.
Espero fazer mais uma.
Piso no gelo e tudo volta.

Aman ainda não se mexeu, e eu patino de costas,
chamando-o devagar com o dedo.

Fico vermelha na hora. Nunca sou a primeira a agir.
Mas ele parece gostar, e entra no rinque.

Ele começa devagar. Nós dois olhamos para a frente, patinando lado a lado.
Então, é como se algo o dominasse.
E percebo que ele não estava mentindo. Ele. É. Incrível.

Aman se abaixa e ganha velocidade, depois gira e faz oitos.
Espero que ele vá começar a dar cambalhotas e saltos,
mas ele só se aproxima devagar e pega a minha mão.

A gente patina assim por um tempo, depois sai do rinque para
comer nachos.
"Aman. Como você aprendeu tudo isso? Você é muito, muito
bom."

Ele ri para mim e dá de ombros. "Eu vinha pra cá e praticava.
Meu pai nunca quis me colocar na aula. Disse que era bobeira."

E agora seu sorriso fica um pouco triste. E eu penso em todas
as coisas que poderíamos ser
se ninguém tivesse dito que nossos corpos não foram feitos
para isso.

Depois de patinar

Quando Aman me leva até a estação,
imediatamente me puxa para ele.
A gente nunca se beija assim em público, mas com seus lábios
nos meus,
percebo que quero a mesma coisa.

E eu sei que é burrice,
fácil demais de encontrar alguém do prédio,
ou uma das amigas da igreja da Mami,
mas só quero que esse momento dure.

Quando ele pega minha mão e me puxa ainda mais para perto,
eu deixo que me faça esquecer:
a raiva do Gêmeo, a aula de crisma amanhã,
o cheiro do trem, as pessoas em volta,
ou o "Atenção ao vão entre o trem e a plataforma".

E eu sei que provavelmente as pessoas estão olhando,
provavelmente pensando: "Esses adolescentes cheios de tesão
não conseguem se largar."

Mas não ligo, porque quando nossas bocas se encontram,
nessas três paradas antes que eu saia,
é lindo e verdadeiro e o que eu queria.

Provavelmente a gente era a única coisa
que valia a pena ver ali de qualquer forma.
Talvez estivéssemos fazendo um favor aos passageiros.
Fazendo-os lembrar o primeiro amor.

Este corpo em chamas

Indo para casa da estação,
não posso evitar pensar que
Aman me tornou uma viciada:

implorando por mais uma
olhos arregalados de fome
sangue em chamas
lambendo a pele
o alívio naquele
lábio.

Dependente implorando uma dose,
seja qual for o preço,
contanto que
tenha zelo.
Muito, muito zelo.
Sangue no gelo, gelo
esperando pelo calor
que incendeia o fogo.

Ele me fez uma viciada:
esperando sua próxima palavra,
ansiosa pelo seu último suspiro,
sempre esperando pela próxima, próxima vez.

A merda & o ventilador

Escuto Mami gritando
pela porta do apartamento
antes até de virar a chave.

O que não faz sentido,
porque não era para ela estar em casa ainda,
não são nem quatro da tarde.

"*Se lo estaba comiendo.*
A língua enfiada na garganta dele.
Algum garotinho sujo.
Eu tive que sair do trem uma estação antes."

E é aí que eu sei.
Os olhos de Mami eram um ventilador
e meus beijos no trem
a merda batendo nele.

Para a minha sorte, ela está gritando do quarto dela,
e eu entro em silêncio no que divido com Gêmeo,
fecho a porta baixinho, escorrego até a cabeça
ficar entre as minhas pernas.

Não sei quanto tempo passou
até o Gêmeo abrir a porta,
e mesmo do seu muro de silêncio
ele entende que tem algo errado.

Ele se abaixa ao meu lado,
mas não consigo avisá-lo da tempestade
que está vindo.

Não consigo nem ficar grata
por ele estar falando comigo de novo.
Tento fazer tudo o que é grande em mim
ficar pequeno, pequeno.

Milagres

Meus pais ainda estão gritando no quarto,
e como eu nunca grito de volta com eles,
não berro quando meu pai
me chama de *cuero.*

Não berro quando o bairro todo cochicha,
enquanto ando na rua,
sobre todas as mulheres
que o fizeram um *cuero.*

Mas homens nunca são chamados de *cueros.*

Não grito nada
Porque, pela primeira vez em muito tempo,
estou rezando por um milagre.
Me beliscando e torcendo
para tudo isso ser um sonho ruim.

Tentando não ouvir
minha mãe fazer de meus beijos algo feio,
meu pai me chamar de coisas
que outras pessoas pensam de mim
desde que tenho peitos.

Deus, se você for uma coisa que escuta:
por favor, por favor, por favor.

Medo

"Xio, o que você fez agora?"
Eu não olho pro Gêmeo.
Porque, se olhar pra ele,
vou chorar. E se eu chorar, ele vai chorar.
E se ele chorar, Papi vai gritar
com ele por ter chorado.

Ele faz força para levantar;
depois, se ajoelha na minha frente de novo,
como se seu corpo não soubesse o que fazer.

"Xio?"

E eu quero chutar o medo da sua voz.

"Xio, eles sabem que você já chegou?
Você pode sair escondido
pela saída de incêndio. Não falo nada. Eu..."

Mas as *chancletas* de Mami batem
nas tábuas,
e tanto Gêmeo quanto eu sabemos.

Ele fica de pé.
E vejo que suas mãos estão apertadas
em punhos que ele nunca vai usar.
Quando os passos param do lado de fora da porta,
fico de pé, envolvo meus ombros.

"Eu não fiz nada errado, Gêmeo.
Volta pro seu dever.
Ou pras suas mensagens, sei lá."

Eu não fiz nada.

Formigas

Mami

me

arrasta

pela

camiseta

para

seu

altar

da

Virgem.

Me

empurra

até

eu

ajoelhar.

"Olha para a Virgem Maria, garota. Peça perdão."

Eu

baixo

a

cabeça,

torcendo

para

encontrar

ar

nos
azulejos.
O
grande
em
mim
é
impossível

fazer
menor,
mas
eu
tento

fazer
formiga
de
mim.

“Não me faça pegar mais milho. *Mira la Santa María* nos olhos.”

Eu
aprendi
que
formigas
carregam
dez
vezes
seu
peso...

“Olha pra ela, *muchacha, mírala*!”

... conseguem
passar
pelos
menores
lugares.
Não
têm
Deus,
mas
migalhas...

"Última chance, Xiomara. '*Santa María, llena eres de gracias...*'"

... elas
vão
sobreviver
ao
apocalipse.

Pequenas
formigas
marrons
e
formigas
de
formigueiro,
e
formigas
lava-pés
todas
vermelhas
e...

Eu não sou formiga

Minha
mãe
puxa
meu
cabelo,
erguendo
meu
rosto
dos
azulejos,
construindo
uma
abóboda
de
igreja
com
o
arco
da
minha
espinha
até
que
o
rosto
de
Maria
fique
a
centímetros
do meu;

eu
não
sou
formiga.

Só
fui
partida.
Algo
torto.
Pelas
mãos
de
minha
mãe.

Diplomas

"É pra isso
que você quer ir
embora para a faculdade,
para poder
abrir as pernas
para o primeiro
que vier
sorrindo.
Você acha que eu vim
para este país pra isso?
Para você carregar
sua vergonha
na barriga
e nunca se formar?
Tu no vas a ser
un maldito cuero."

Cuero

"*Cuero*", ela me chama na minha cara.
A palavra dominicana para *puta*.

É assim que *cuero* é:
Uma garota normal. Calça jeans sem bolso
que faz caras adultos olharem. Cabelo comprido.
Piercing no nariz. Piercing no lábio. Piercing na
língua. Mais de um par de brincos. Qualquer anel
que não aliança na mão esquerda.
Saias. Shorts. Camisetas. Alcinhas.
Cuero avisa ao mundo que
é gata. Ela sente o sol.
Uma garota espetacular. Com bunda
demais. Boca demais. Boa demais.
Quadris que balançam como água esperando
se derramar nas mãos
dos garotos secos. Uma garota normal.
Sem nada *llamativo*... nada que
chame atenção. Uma garota esquecível.
Que divide o cabelo no meio.
Que não tem decote. Com uma boca
que não parece estar sempre à espera.
Un maldito cuero. Eu sou assim, e eles estão certos.
Espero que estejam certos. Eu sou. Eu sou. EU SOU.

Vou ser qualquer coisa que faça sentido
nesse pânico. Vou me soltar dessa carne que dói.

Sabe, um *cuero* é uma pele qualquer. Um *cuero*
é só um disfarce. Um *cuero* é coisa frouxa.
Amarrada a ninguém. Balançando
e voando ao vento. Voando. Voando. Sumiu.

Mami diz:

"As mãos dos homens nunca serão limpas.
Mesmo quando a sujeira foi lavada

de debaixo das unhas, quando o cheiro de sabão
que vem delas toma

o ar, tem pecados ali.
Suas mãos lavadas sabem como fazer pano de chão

das suas costas, torcer seu pescoço.
Não procure cuidados imaculados

quando os homens usam suas lágrimas como Pinho Sol;
eles vão limpar o chão com seu orgulho.

Não há inocência aqui, garota.
Os dedos deles foram feitos para cavar sujeira,

achá-la nas melhores coisas.
Fazer seu coração de Bombril,

áspero e aço — não seja uma droga de uma esponja.
Os dedos deles não sabem segurar com cuidado.

À noite, se você imagina os beijos dos homens, seus toques suaves,
uma carícia, lembre que Adão foi feito de lama que suja as mãos,

lembre que Eva caiu tão facilmente em tentação."

Repetição

As mãos duras de Mami
me deixam tonta e enjoada.

Mami reza e reza
enquanto meus joelhos ardem nos grãos de milho.

Mami se repete
enquanto sua estátua da Virgem nos observa.

A casa toda é testemunha
do preço tão alto que pago.

Coisas que você pensa enquanto está ajoelhada no milho, e que nada têm a ver com arrependimento:

Uma vez vi meu pai descascar uma laranja
sem nenhuma vez tirar a faca da fruta.
Ele a girou e girou e girou como um globo
sendo desnudado. A casca se tornou um cacho,
suas tripas expostas, e sangrando. Com que facilidade ele separou
tudo o que protegia a fruta e depois passou o prato
para minha mãe, largando a pele no chão de azulejos
enquanto o interior explodia entre seus dentes.

Outra coisa que você pensa enquanto está ajoelhada no milho, e que nada tem a ver com arrependimento:

Minha mãe nunca teve mãos macias.
Mesmo quando eu era pequena, elas eram ásperas
de empurrar esfregões de madeira e limpar ladrilhos.

Mas quando eu era pequena, não ligava.
A gente caminhava pela rua
e eu esfregava seus calos.

Ela sorria e dizia que
eu era seu prêmio por tanto trabalho,
eu era seu prêmio por tanta paciência.

E adorava ser seu prêmio.
O troféu dourado de sua vida.
Só não sei quando fiquei grande demais

para o pedestal em que cabia.

A última coisa que você pensa enquanto está ajoelhada no milho, e que nada tem a ver com arrependimento:

Como você vai ficar com marcas fundas dos grãos nos seus joelhos.

Como você tem sorte pela calça jeans evitar que você sangre.

Como você vai ter que andar devagar para a escola.

Como se ajoelhar na igreja nunca foi tão ruim quanto isso.

Como nem seu pai nem seu irmão disseram nada.

Como você sente frio mas está corada ao mesmo tempo.

Como seus punhos estão cerrados mas não têm nada em que bater.

Como a dor arde e sobe pelas suas coxas.

Como você nunca rangeu os dentes assim.

Como dói menos quando você se força a ficar parada, parada, parada.

Como esses pensamentos são inúteis. Todos eles.

Como um beijo não deveria doer tanto assim.

Embora

O Gêmeo apoia um saco
de legumes congelados
nos meus joelhos,
e outro no meu rosto.

"Você teve sorte, sabe.
Ela está ficando velha.
Ela não te fez ficar ajoelhada tanto assim."

E com a dor
ainda fresca na pele,
não consigo nem concordar.
Mas sei que é verdade.

"Xio. Só não arruma problema
até a gente ir embora.
Logo a gente vai pra faculdade."

Eu nunca ouvi o Gêmeo tão desesperado,
nunca imaginei que ele sonhasse em ir embora
assim como eu.

Eu tento não me ressentir do fato
de que ele pulou uma série e vai antes de mim.
Tento não me chatear com seu toque suave.

Eu o empurro para longe
com medo de como minhas mãos
querem machucar tudo ao meu redor.

O que você quer que eu faça?

É uma pergunta muito simples.
Mas quando Caridad manda para o Gêmeo
a mensagem para ele me mostrar,
eu olho para ele e devolvo o celular.
Não estou chateada que ele tenha contado a ela.
Eu sei que eles só estão preocupados.
Mas tudo o que preciso é me permitir
fazer o que não fiz na frente de Mami:

me encolher na cama e chorar.

Consequências

Minha mãe solta a palavra *não*
como centenas de grãos de milho.
Vou ajoelhar nelas também.

Celular? Não.
Dinheiro para o lanche? Não.
Tardes fora da igreja? Não.

Meninos? Não.
Mensagens? Não.
Sair depois da escola? Não.

Liberdade? Não.
Tempo para mim mesma? Não.
Escapar da confissão com padre Sean este domingo?

Não.

Naquela noite, mais tarde

A única pessoa com quem quero
falar é Aman.
E embora o Gêmeo ofereça
seu celular,
eu não sei o que dizer.
Que tivemos um lindo dia,
e que tudo foi por água abaixo.
Que meu coração dói mais do que meus joelhos.
Que não podemos mais ficar juntos.
Que eu levaria aquela surra
de novo se pudesse ficar com ele?
Talvez não haja palavras para isso.
Eu só quero ser abraçada.

Sexta-feira, 9 de novembro

Na frente do meu armário

Estou tão distraída na manhã seguinte
enquanto guardo minhas coisas no armário,
que não percebo um grupo de garotos
me rodeando até que um me dá um encontrão,
as duas mãos apertando minha bunda.

E dá pra ver pelas risadas dos amigos,
pelo risinho que ele dá enquanto diz "opa",
que aquilo não foi acidente.

Dou uma olhada pelo corredor.
As pessoas passam devagar.
Umas meninas cochicham atrás das mãos.

O grupo de garotos ri e começa a se afastar.
Pelo canto do olho, vejo Aman
paralisado. O sorriso sumindo.

Pela primeira vez desde que me lembro, eu espero.
Não consigo brigar hoje. Tudo em mim parece em carne viva.
E talvez eu não tenha que brigar.

Aman está aqui. Ele vai fazer alguma coisa.
É claro que, sendo um garoto que gosta de mim,
ele não vai deixar alguém me tocar
e me fazer sentir tão pequena por dentro.

É claro que, sendo alguém com quem já conversei
sobre como é estranho ser observada
e tocada como se fosse propriedade pública,

ele vai saber como isso me incomoda.

Mas Aman não se mexe.
Todas as coisas que eu precisava falar sobre ontem à noite,
todas as coisas que mudaram desde que nos beijamos no trem,
evaporam no calor da minha raiva.

Sinto meus joelhos ardendo,
as marcas do milho roçando o tecido da calça.
E penso em como Aman é o motivo pelo qual
eu fui punida para começo de conversa.

Ele não vai dar um soco.
Ele não vai xingar ou fazer um escândalo.
Ele não vai fazer porra nenhuma.

Porque ninguém além de mim mesma nunca vai cuidar de mim.

Me afasto do armário e
encaro o garoto que me agarrou,
empurro ele com força nas costas.
Ele tropeça, mas antes que possa reagir,
olho bem na fuça dele e falo:

"Se você encostar em mim de novo, vou enfiar as unhas
em todas as espinhas dessa sua cara feia."

Fecho o armário com força e encaro Aman antes de me afastar.
"Isso serve pra você também. Muito obrigada por nada."

Parte III

A voz solitária

chorando na imensidão

Mundo silencioso

Durante toda a sexta e o fim de semana,
o mundo em que vivi
usa fita adesiva
em cima da boca.

Eu uso fones
invisíveis da Beats
que abafam o som.

Não escuto os professores,
ou o padre Sean,
Gêmeo, ou Caridad.

Aman tenta falar comigo,
Mas, mesmo na aula de biologia,
finjo que meus ouvidos estão cheios de algodão.

Não falo com ninguém.

O mundo é quase pacífico
quando você para
de tentar compreendê-lo.

Domingo, 11 de novembro

Pesado

Depois da missa de domingo,
sob o olhar atento de Mami, me aproximo do padre Sean.
Ele está beijando bebês e conversando com velhinhos,
mas me dá sua total atenção.

Eu peço para que ele aceite minha confissão.
E não sei dizer se é minha imaginação,
mas seus olhos quase parecem se apiedar de mim.

Ele dá uma olhada para trás de mim,
para onde Mami está.

Em vez de entrar no confessionário, ele me diz
para encontrá-lo na reitoria,
o espaço bem iluminado de reuniões atrás da igreja.

E não sei em quanta verdade
minha língua vai tropeçar.

Passo pela porta lateral e
evito olhar as imagens dos santos.

Sempre estou evitando alguma coisa,
e isso é tão pesado quanto qualquer cruz.

Minha confissão

Como você admite uma coisa dessas?
É de se pensar que estou grávida
pelo jeito como meus pais agem
como se eu os decepcionasse.

E por meus pais quero dizer Mami.

Papi em geral fica bufando,
dizendo que é melhor eu obedecer Mami.
E Mami fica bufando,
dizendo que é melhor eu ler o Livro de Rute com mais atenção.

E eu só quero dizer a eles:
CALMA, CARA.

Eu não peguei nenhuma doença ou fiquei grávida.
Foi só uma língua. Na minha boca.

Então, não sei bem o que dizer ao
padre Sean quando o encontro na reitoria.
Talvez eu não me lembre bem da Bíblia,
mas não acho que esse seja um dos sete pecados.

Ele senta na minha frente e cruza os pés.
"Podemos começar quando você estiver pronta.
Imagino que você não precise do anonimato, e pensei
que aqui seria mais agradável do que o confessionário. Quer chá?"

Eu olho para minhas mãos fechadas. Porque não consigo olhá-lo
no rosto.

"Acho que cometi o pecado da luxúria. E desobedeci aos meus pais...
embora eles nunca tenham falado de verdade que eu não podia beijar um menino
no trem, então, não sei bem se é o pecado correto."

Espero o padre Sean falar,
mas ele só olha para a foto do papa acima de mim.
"Você está arrependida, Xiomara?"
Espero um momento. Então balanço a cabeça, não. Digo:

"Estou arrependida de terem me visto.
Estou arrependida de ter que estar aqui.
De ter que fingir para você e para ela
que me importo com a crisma.
Mas não me arrependo de ter beijado um menino.
Só me arrependo de ter sido pega.
Ou de ter tido que esconder tudo isso."

O padre Sean diz:

"Nosso Deus é um Deus de perdão.
Mesmo quando fazemos coisas que não deveríamos,
nosso Deus entende a fraqueza da carne.
Mas o perdão só é dado
se a pessoa realmente se arrepende.
Acho que isso é muito mais profundo
do que beijar um menino no trem."

Preces

O padre Sean é jamaicano.
O espanhol dele tem um sotaque engraçado,
e quando ele reza a missa dos latinos,
metade das palavras parece inventada.

Faz as crianças menores rirem;
faz os mais velhos sorrirem.

Seu espanhol, quando ele fala com a minha mãe,
não faz nada disso. Seus olhos castanhos são decididos
e gentis quando ele olha para Mami
e lhe diz:

"Altagracia, não acho que Xiomara
está bem pronta para ser crismada.
Acho que ela tem algumas questões
que devemos deixar que resolva primeiro."

Ele explica que não é o que confessei.
Mas que várias questões que levantei
e comentários que fiz
o fazem pensar que devo continuar
vindo às aulas,
mas ainda não fazer a crisma este ano.

O rosto da minha mãe se encolhe todo,
como se alguém tivesse aspirado toda a sua alegria.

Eu evito seus olhos,
mas algo deve ter surgido neles,
porque o padre Sean ergue a mão.

"Altagracia, por favor, fique calma.
Lembre-se, a raiva é tão pecaminosa
quanto qualquer coisa que Xiomara tenha feito.
Todos precisamos de tempo para lidar
com certas coisas, não?"

E não sei
se o padre Sean me presenteou com uma bênção,
ou se colocou o último prego no meu caixão.

Como eu sei

Eu sei quando Mami está com raiva de verdade
porque seu espanhol fica mais rápido do que o normal.
As palavras batem umas nas outras como carrinhos de criança.

"*Mira, muchacha...* Você não vai mais me envergonhar na igreja.
De agora em diante, vai tomar jeito.
Está ouvindo, Xiomara?

No te lo voy a decir otra vez."
(Mas eu sei que ela *vai, sim*, me dizer isso de novo. E de novo.)
"Vamos ter algumas mudanças grandes por aqui."

Antes de entrarmos em casa

"Você não pode dar as costas para Deus.
Eu estava no caminho para o convento,
me preparando para ser Sua esposa,
quando me casei com seu pai.

Acho que foi um castigo.
Deus me permitiu entrar na América,
mas me prendeu a um homem viciado em mulheres.

Foi castigo
me impedir de ter filhos por tanto tempo
que questionei se alguém neste mundo algum dia me amaria.

Mas até acordos comerciais são promessas.
E nós casamos na igreja.
Então, eu nunca dei as costas a ele,

embora eu tenha tentado tanto voltar
para o meu primeiro amor.
E a crisma é o último passo que posso lhe dar.

Mas a filha peca como o pai.
Porque, veja você, escolhendo isso e não o sagrado.
Eu não sei se você é mais como seu pai

ou mais como eu."

Meu coração é uma mão

Que se aperta
em punho.
É uma coisa que encolhe,
como uma passa,
como uma camisa apertada,
como dedos que dobram
mas não têm outra mão
para prendê-los;
então, só acabam
mordendo a si mesmos.

Quarta-feira, 14 de novembro

Um poema que minha mãe nunca vai ler

Mi boca no puede escribir una bandera blanca,
nunca será un verso de la Biblia.
Mi boca no puede formarse el lamento
que tú dices tú y Dios merecen.

Tú dices que todo esto
es culpa de mi boca.
Porque tenía hambre,
porque era callada.
pero ¿y la boca tuya?

Cómo tus labios son grapas
que me perforan rápido y fuerte.

Y las palabras que nunca dije
quedan mejor muertas en mi lengua
porque solamente hubieran chocado
contra la puerta cerrada de tu espalda.

Tu boca amuebla una casa oscura.
Pero aun a riesgo de quemarse,
la mariposa nocturna siempre busca la luz.

Traduzindo

Minha boca não te pode escrever uma bandeira branca.
Nunca vai ser um versículo da Bíblia.
Minha boca não pode ser moldada no pedido de perdão
que você diz que você e Deus merecem.

E você quer que pareça que
a culpa é toda da minha boca.
Porque era voraz
e quieta, mas e a sua boca:

como seus lábios são grampos
que me perfuram rápido e forte.

E as palavras que nunca falo
ficam melhor na minha língua,
pois tudo o que fariam era bater
na porta fechada das suas costas.

Seu silêncio decora uma casa escura.
Mas, mesmo correndo risco de arder,
a mariposa sempre busca a luz.

Coração partido

Eu nunca quis magoar ninguém.
Eu não vi como isso poderia acontecer,
roubando beijos
e sussurrando promessas em ouvidos
que agora sei não me ouviam.
Finjo não vê-lo na escola.
Finjo não vê-los em casa.
A mais talentosa atriz, porque estou sempre fingindo,
fingindo ser cega, fingindo estar bem;
eu deveria ganhar um Oscar por fingir tão bem.

Isso é remorso? Isso merece perdão?

Lembretes

Fico na cama fazendo dever
enquanto o Gêmeo assiste animes no YouTube.

Ele parou de usar os fones
para eu poder ouvir também.

(Tecnicamente, vai contra as regras de Mami,
mas ela nunca deixaria o Gêmeo de castigo.)

Na metade do episódio, vem um comercial
com um atleta das últimas Olimpíadas de Inverno.

E eu devo ter feito um barulho,
porque o Gêmeo olha por cima do ombro para mim.

Ele tira o som do laptop. "Tudo bem?"

Mas eu só enfio a cabeça no travesseiro.
E me lembro de respirar.

Escrever

No dia seguinte e no dia depois desse,
eu passo todas as aulas escrevendo no meu diário.
A Sra. Galiano me manda para a orientadora,
mas eu me recuso a falar com ela também,
até que ela ameaça ligar para minha casa,
então invento uma desculpa, falando de cólicas e estresse.

Me esconder no meu diário
é a única maneira de eu não chorar.
Minha casa é um túmulo.
Até o Gêmeo parou de falar comigo,
como se estivesse com medo de que uma só palavra
pudesse destruir minha fachada.

Ouço Mami no telefone
fazendo planos de me mandar pra R.D. nas férias;
a consequência final:
deixar a boa e velha ilha me dar uma lição.

Toda vez que penso em ficar longe de casa,
do inglês, do Gêmeo e da Caridad, me sinto um navio no mar:
todas as chances de acabar onde quero,
todas as chances de acabar me perdendo.

O que eu gostaria de dizer ao Aman quando ele me mandar mais uma mensagem de desculpas

Suas mãos nas minhas eram frias
Seus lábios na minha orelha estavam quentes
Seu "sinto muito", fervente
Mas você não precisa se desculpar
Eu conheço bem o silêncio
Nada disso tinha a ver com você
Você foi só uma rebelião falida
(É claro   estou mentindo
Você era tudo
Mas não posso tê-lo
Sem começar uma guerra que não vou vencer)
Eu sei que essas nunca foram batalhas
Que eu algum dia desejei

Quarta-feira, 21 de novembro

Favores

Na noite antes da Ação de Graças,
o Gêmeo tira os meus fones,
e me oferece uma maçã fatiada
e um sorriso gentil.

"Você não anda comendo muito."

Pego o prato e olho para a fruta,
surpresa por ele ter percebido.

"Só não estou com fome."
Mas como tudo.
Porque sei que o Gêmeo está preocupado.
E eu realmente não resisto a uma maçã.

"Xiomara, posso te pedir um favor?
Você pode escrever um poema de amor?
Um sobre ser grato por
ter uma pessoa na sua vida?"

Eu olho para o meu irmão sem acreditar.
Me pergunto se ele entende
como está prestes
a ter a cara salpicada
de sementes de maçã.

Algo na minha barriga
se rebela contra a maçã,
e sinto ela querendo
voltar pela minha garganta.

Por um segundo, eu penso em todos os poemas
que escrevi para Aman,
mas empurro o pensamento para longe.

Empurro o prato para o Gêmeo.
"Você quer que eu escreva um poema de amor
para o seu... para o Branquelo?
Foi pra isso que você me trouxe a maçã?"

O Gêmeo me encara, confuso,
e aí algo se transforma no seu rosto.
Ele puxa o prato vazio junto ao peito, como uma armadura.
"O nome dele é Cody.
E o poema na verdade era pra você.
Achei que poderia ser uma boa catarse
escrever algo bonito para si mesma."

Recuperada

Estou ajudando Mami a cortar batatas e beterrabas
para a *ensalada rusa* quando o telefone toca.

Ela atende e passa para mim.
E eu nem imagino quem pode ser.
A voz de Caridad berra em meu ouvido:

"Escuta, mulher. Eu sei que você tá chateada.
Eu sei que tem várias coisas acontecendo por aí.
Mas você nem ouse me ignorar por duas semanas direto.
Só porque está sem celular não pode mais ligar pra ninguém?"

E em vez de ficar com raiva, acabo me emocionando.
É uma coisa muito simples. Mas também é *muito* normal.
Caridad nunca engole minhas merdas,
e se certifica de que desta vez não será diferente.

Ela suspira, e sua voz fica mais gentil.
"Estou preocupada com você, Xio. Não deixa a gente de fora."

E ela não me vê assentindo pelo telefone.
Mas eu resmungo desculpas. E digo que tenho que desligar.
E sei que ela sabe que na verdade estou dizendo "obrigada".

Quinta-feira, 22 de novembro

Ação de Graças

El Día de Accíon de Gracias.
Gêmeo e eu vamos com Mami para a igreja,
e ajudamos a servir purê de batatas
e de ervilhas, e outras coisas americanas
que nunca comemos em casa,
nos pratos dos sem-teto.
Me sinto mal o dia todo.
Como se todos pudessem ver
que a única coisa pela qual sou grata
é o silêncio de Mami.
Até o Gêmeo, que me olha
com sua carinha de cachorro perdido,
me faz querer virar a mesa
e amassar todo o purê de ervilhas sob meus pés

Haiku: A melhor parte do Dia de Ação de Gracas foi quando Mami:

Devolveu meu cel.
Até eu lembrar: não tenho
ninguém pra ligar.

Rascunho Trabalho 4 — Quando foi a última vez em que você se sentiu mais livre?

Eu devia ter cinco ou seis anos,
porque a lembrança é confusa.

Mas meu pai estava assistindo
a um filme de caratê na TV,

e minha mãe estava na igreja,
então não tinha ninguém para nos encher.

Eu e o Gêmeo amarramos camisas de manga comprida
na cabeça

e usamos os laços dos meus vestidos de igreja
para fazer faixas de caratê na cintura.

A gente achou que parecia ninjas,
e ficamos pulando de sofá em sofá,

escorregando nas capas de plástico
sem nunca cair na "lava".

(Por que éramos ninjas em vulcões? Vai saber.)

Eu me lembro de em algum momento olhar para cima
e ver minha mãe na entrada da sala...

Eu me joguei nela. Havia uma liberdade aí,
em voar. Em acreditar que ela ia me pegar.

Não lembro se ela pegou mesmo.
Mas isso deve ter acontecido, ou então eu me lembraria de ter caído?

Rascunho Trabalho 4 — Quando foi a última vez em que você se sentiu mais livre?

Talvez da última vez em que declamei um poema?
Com Aman me ouvindo, olhos entreabertos...
aquele momento logo antes de eu abrir a boca,
quando eu estava nervosa, meu coração disparado,
mas eu sabia que podia fazer aquilo, que podia
dizer alguma coisa, qualquer coisa, naquele momento
e que alguém ia ouvir.

Rascunho Trabalho 4 — Quando foi a última vez em que você se sentiu mais livre?

Será que uma calçada pode ser um lugar de liberdade?
Acho que sempre que sento na calçada
posso ficar só observando o mundo
sem que o mundo me observe de volta.
No verão, que parece anos atrás,
a calçada do prédio era um pátio.
Era o momento em que eu podia respirar
sem que ninguém me pedisse para fazer ou ser
qualquer coisa além de mim mesma:
uma menina, quase mulher, sentada
no sol e aproveitando o calor.
Os caras não enchem muito
quando você está sentada na calçada do seu prédio.
Quando sentei na calçada com o menino
que pensei que gostava mesmo de mim também havia uma
liberdade aí.
O jeito como nossos corpos se inclinavam um para o outro,
o fato de que finalmente eu me permitia ser imprudente.
Existe liberdade em ir e vir
sem outro motivo além de poder.
Existe liberdade em escolher sentar e ficar
quando tudo está sempre te dizendo para correr, andar.

Versão final do Trabalho 4 — O que eu realmente entreguei

Xiomara Batista
Terça-feira, 4 de dezembro
Sra. Galiano
Quando foi a última vez em que você se sentiu mais livre?; versão final

Liberdade é uma palavra complicada. Eu nunca fui presa como Nelson Mandela ou algumas pessoas que cresceram comigo. Eu nunca fui enjaulada como um Rottweiler usado em rinhas de cachorros, ou como os galos que meus pais criavam quando eram pequenos. Liberdade parece uma palavra muito grande. Algo grande demais: talvez como um arranha-céus que vislumbro dos pés do edifício mas nunca pude escalar.

Sumiço

Até o intervalo
agora virou
outro lugar
que odeio demais.
Um grupo de meninos
começou a parar
na nossa mesa silenciosa,
tentando se enfiar
entre a gente,
ou ver o que
as meninas desenham.
Ou tentando dar uma olhada
no meu caderno.
São garotos
com quem tenho aulas,
alguns até fumam com Aman.
Às vezes, o professor
responsável percebe.
Se é a Sra. Galiano, tudo bem.
Se não, tenho que torcer
para ser outro
que se importa
com as meninas quietas
no canto.
Não posso me meter
em mais confusão.
Então, fico com as mãos
no colo.

Fico com a boca
bem fechada.
E todo dia
desejo poder
simplesmente
desaparecer.

Segunda-feira, 10 de dezembro

Zeros

Quando a Sra. Galiano devolve o Trabalho 4,
estou esperando ver um zero em vermelho no topo.
Mas em vez disso tem um recado:

"Xiomara,
está tudo bem? Vamos conversar depois da aula. Percebi que seus trabalhos parecem menos cuidadosos que o normal, e você foi mal no último teste. Me procure."

Tento pensar em maneiras
de escapar sem ser notada.
Não tenho nada a dizer
para a Sra. Galiano nem ninguém.

Dobro o papel do trabalho
em quadrinhos minúsculos
até conseguir escondê-lo como uma sorte
apertada bem no meio da minha mão.

Possibilidades

A Sra. Galiano é esperta.
Antes de o sinal tocar,
ela me chama até a mesa
e pede para esperar com ela
enquanto libera os outros alunos,

e ela nem tenta ir com calma
na conversa, inclusive:

"O que está havendo?
Você não está entregando os trabalhos,
e está ainda mais quieta que o normal."

Mas não tenho nada a dizer.
Se nada mais, minha família acredita
em manter *las cosas de la casa en la casa* —
o que acontece em casa, fica em casa.

Então eu só dou de ombros.

"E o clube de poesia?
Eu sempre torço para você aparecer.
Você escreve muito bem.
Nem precisaria ler nada.
Será que você poderia vir e ouvir, ver como se sente?"

Eu quase respondo que tenho aula de crisma,
que os horários não batem.

Mas aí me lembro: o padre Sean
não espera mais que eu apareça...
e bem, Mami espera. Quem saberia que estou matando
contanto que esteja lá quando ela chegar?

Além disso, tenho muito explodindo para ser dito,
e acho que estou pronta para que me ouçam.
Engulo o sorriso que tenta se infiltrar
no meu rosto, mas digo para a Sra. Galiano:

"Vou refazer o trabalho, se puder.
E vejo a senhora no clube amanhã."

Não diga nada

Não sei quando foi a última vez em que fiquei ansiosa por algo.
As tardes com Aman parecem longínquas.
Estamos em uma matéria diferente, e o Sr. Bildner
trocou as duplas do laboratório.
Agora estou com uma menina chamada Marcy, que desenha
corações
sem parar no seu caderno.

Às vezes pego Aman me olhando do outro lado da sala.
Olhares demorados que esticam o espaço físico entre nós,
e embora eu ainda esteja puta por ele não ter me defendido,
parte de mim sente que talvez eu também tenha errado.

Mas mesmo se eu quisesse consertar as coisas, não tem por quê.
A gente não pode ter nada um com o outro.
Pensando bem, talvez nossa relação fosse um pouco parasitária?
Um de nós roubando tudo para si, e o outro só tentando viver.

Talvez seja melhor que tenha acabado. Porque o que posso dar
a ele?
Nada além de beijos esporádicos. Nada além de poemas inacabados.
Nada além de se esconder e se arrepender das minhas mentiras.
Nada. Mas pelo menos eu tenho o amanhã. Pelo menos eu
tenho a poesia.

Terça-feira, 11 de dezembro

Isabelle

"Você não é a gostosona do primeiro ano
de que os meninos falam o tempo todo?"

Eu olho para a única outra pessoa
na sala da Sra. Galiano,

uma menina de tutu rosa e tênis da Nike
que deve ter alguma mistura no sangue.

Apesar das minhas mãos suadas e coração disparado,
eu quase rio.

Não sei por que eu achei que o clube de poesia
seria diferente do resto do mundo.

Dou de ombros. "Na verdade, eu sou do segundo ano."

Ela inclina a cabeça para mim e dá um tapinha no lugar ao seu lado.
"Meu nome é Isabelle. Quem diria que você era poeta? Maneiro."

Primeira reunião do clube de poesia

É engraçado como os menores momentos
são como dominós alinhados,
sendo enfileirados com o objetivo
de te derrubar de bunda no chão.
De um jeito bom.

Eu deveria ficar puta com o comentário de Isabelle;
em vez disso, gostei de como ela é objetiva.
A maioria fala essas coisas de mim pelas costas,
mas ela fala direto o que pensa.

Não quero me animar,
porque sabe-se lá se vou voltar,
mas parece que os cartazes da Sra. Galiano
atraíram um grupinho legal de pessoas.

Somos quatro no total, um clube pequeno,
dois meninos — Chris, que leu um poema na minha turma
e distribuiu os panfletos, e Stephan,
que é *super* tímido. E a Isabelle, do Bronx.

A Sra. Galiano me recebe no clube
e pede para todo mundo ler um poema
como forma de eles
se apresentarem pra mim.

Chris e Isabelle sabem os deles de cabeça,
mas Stephan lê o que está no caderno.
Minhas mãos tremem antes mesmo
de ser minha vez, e eu fico só torcendo
para ser ignorada de algum jeito.

A poesia de Stephan é cheia das mais coloridas imagens.
Cada verso, um visual que sempre acerta em cheio.
(Nem sempre eu entendo cada verso,
mas adoro as imagens que surgem atrás das minhas pálpebras.)

Chris Hodges fala alto e muito rápido,
um comentário para todo poema, tudo é "profundo" e "incrível",
o seu usando palavras como *abismo* e *efervescente*
(acho que ele está estudando pro vestibular).

E aí vem Isabelle Pedemonte-Riley.
Seu poema rima, e ela parece
uma rapper de verdade. Dá pra ver que ela adora
a Nicki Minaj também. Ela é uma contadora de histórias,
escrevendo um mundo em que você pode mergulhar.

Fico ali sentada me perguntando como palavras podem levar
estranhos tão estranhos para o mesmo lugar.

E aí é minha vez de ler.

Nervos

Eu abro a boca, mas não consigo forçar as palavras a saírem.
Não é como quando eu li para o Aman.
Embora eu quisesse que ele gostasse,
não sentia que tinha que impressioná-lo.

Mas agora estou nervosa,
e o poema não parece pronto ainda,
ou nem um poema, na verdade, só uns escritos no diário.

Um punho se fecha no meu estômago,
e eu respiro fundo tentando desfazer o nó.

Nunca imaginei uma plateia para meu trabalho.
Se tanto, meus poemas foram feitos para serem vistos, e não ouvidos.

A sala está muito quieta, e eu limpo a garganta —
até minhas pausas parecem gritar.
Isabelle fala primeiro.

"Você consegue, garota. Só fala cada palavra pra gente."

A Sra. Galiano concorda,
e Stephan solta um "ahã" baixinho.
Então, seguro meu caderno com força e mergulho no poema.

Quando termino

Isabelle comemora, e a Sra. Galiano sorri,
e é claro que Chris tem um comentário
sobre a complexa estrutura narrativa do poema,
ou sei lá o quê.

Eu não lembro da
última vez em que as pessoas fizeram silêncio
enquanto eu falava, ouvindo de verdade.

Não desde o Aman.
Mas é bom saber que não preciso dele
para me sentir ouvida.

Minhas palavrinhas
parecem importantes por um momento.
Esta é uma sensação em que eu poderia me viciar.

Elogios

"Você foi muito bem hoje, Xiomara.
Eu sei que nem sempre é fácil
se expor assim", diz a Sra. Galiano.

E embora eu esteja acostumada a elogios,
raramente eles são sobre os meus pensamentos,
então, não consigo impedir o sorriso que floresce no meu rosto.
Faço força para engoli-lo antes que ele exploda.

Mas parece que finalmente um adulto me ouviu de verdade.
E pela primeira vez desde o "incidente"
sinto algo próximo de felicidade.

E quero ficar e conversar com os outros alunos,
ou com a Sra. Galiano, mas quando olho para o relógio,
sei que tenho que correr para a igreja, ou Mami vai saber
que matei a aula. Em vez disso, então, só agradeço,
e saio sem olhar para trás.

Caridad está do lado de fora da igreja

C: A aula de crisma acabou mais cedo.
Sua mãe está lá dentro rezando.
Falei que você tinha ido ao banheiro.

X: Merda. Foi mal. Eu sei que você odeia mentir pra ela.

C: Tudo bem, Xiomara. Mas olha,
você teve muita sorte que
o padre Sean foi direto
para a reitoria depois da aula.

X: Eu sei, eu sei.
Ele teria estragado o disfarce.

C: Você está se metendo com aquele menino de novo?

X: Na verdade, eu estava com dois meninos. E uma garota.
Ai, meu Deus, parece que você vai desmaiar!
Eu estava na reunião do clube de poesia. Tinha outros alunos.
Relaxa.

C: Você quase me mata do coração.
Falando de poesia, ouvi falar de um evento aberto
sexta-feira. A gente não faz uma atividade social faz um tempo.
Quer ir comigo?

X: Não posso, Caridad.
Você sabe que Mami não vai deixar.
Ainda tô de castigo.

C: Ela vai deixar você ir
se for comigo e com o Gêmeo.

Esperança é uma coisa com asas

Embora eu duvide dela,
a esperança logo voa
para cada canto de mim.

Quinta-feira, 13 de dezembro

Aqui

Embora Mami ainda bufe
como um dragão em casa,
e Aman tenha parado
de tentar pedir desculpas,
e o Gêmeo pareça cada vez
mais triste todo dia,
e meu silêncio seja como uma amarra
puxada em todas as direções,
eu acabo levantando a mão
na aula de inglês,
e respondo à pergunta da Sra. Galiano.
Porque pelo menos aqui com ela,
eu sei que as minhas palavras são aceitas.

Haikus

A lanchonete
não parece segura.
É melhor fugir.

*

Pulei o lanche.
A sós, escrevo haikus
em um banheiro.

*

Haikus: poemas
de três linhas com regras
de cinco, sete, cinco.

*

É tradição que
ideias contrastantes
se contraponham.

*

Eu sou um haiku
com lados diferentes
sem ter conclusão.

*

Conto sílabas
nos dedos para ajudar
até o sinal.

Oferta

Junto as coisas e me acalmo
quando a porta do banheiro se abre.
De cabeça baixa, começo a sair
quando ouço uma voz aguda.

"Ei, X."

Ergo os olhos e vejo Isabelle,
de camisa jeans e outra saia de babados,
o cabelo crespo e louro
fazendo o que quer ao redor do seu olhar.

"Não me diga que você tá lanchando no banheiro?"

Pego o que sobrou do lanche na bandeja
e jogo fora. Sem responder, vou para a porta.

"Só porque eu te conheci no clube de poesia,
não significa que a gente é amiga",
é o que eu *não* falo, mas penso.

Isabelle coloca a mão macia no meu ombro;
é sua mão que me faz parar.

"X, eu vou para a sala de fotografia durante o intervalo,
para comer e escrever.
É silencioso nessa parte da escola,
e o professor de arte me deixa ficar lá.
Você pode aparecer se quiser."

Abraçando o Gêmeo

Fecho a porta da frente
e vou direto para o telefone
ligar e avisar Mami que cheguei na hora,
mas sinto o soluço alto do Gêmeo como um tremor nos ossos.

Largo a mochila na porta
e corro para o quarto,
onde o Gêmeo está enrolado
na minha cama, chorando
com o rosto em um elefante de pelúcia.

Pelo menos agora
fico feliz por não precisarmos de palavras.
Eu seguro seus cachos e sento ao seu lado.

E sei que alguma coisa aconteceu
com o menino ruivo.

"Você se meteu em outra briga?",
eu pergunto, sacudindo seus ombros.
"Foi Cody? Foi ele que te bateu?"

Mas, mesmo em meio às lágrimas,
o Gêmeo me olha como se eu fosse louca.

"Não, ele não me bateu. Cody não faria isso.
O olho roxo foi um idiota qualquer.
Isso, isso é muito pior."

Cody

A história do Gêmeo vem em pedaços:
ele conheceu a família do Cody semana passada,
quando os pais dele o deixaram na escola.
Parece que adoraram o Gêmeo (quem não),
e queriam que ele fosse jantar.

(Pais aceitando a sexualidade dos filhos
parece muito bizarro para mim,
porque a ideia de o que meus pais fariam
se soubessem faz cada osso no meu corpo doer.)

Parecia perfeito, disse o Gêmeo,
finalmente uma pessoa, um lugar, uma família
que o aceitavam como ele é.

Mas acontece que o pai de Cody
vai ser transferido no trabalho
depois das férias de fim de ano, e Cody
acha que não consegue ter um relacionamento a distância.

Então, ele terminou com o Gêmeo.
E isso parece ter destruído
alguma coisa dentro dele também.

Eu abraço o Gêmeo,
e o balanço para a frente e para trás.

"Os gêmeos Batista não têm sorte no amor.
Era de se esperar que a gente fosse mais esperto
em proteger nosso coração."

Problemas

O Gêmeo não para de tremer,
o corpinho magro todo agitado,
e sua respiração tão pesada
que os óculos ficam embaçados.

Eu tiro os óculos do seu rosto e faço carinho nas suas costas,
dizendo que vamos dar um jeito nisso juntos.
Que, com um pouco mais de tempo e espaço,
tudo vai se ajustar.

Dou uma olhada no relógio.
"Você precisa se acalmar agora;
Mami vai chegar daqui a pouco... Merda!"

Mami! Esqueci de ligar para ela.

Lição de espanhol dominicano:

Brava (adjetivo feminino), significando feroz, irritada, de mau gênio.

Exemplo: Mami ficou bem *brava* quando chegou em casa, porque eu não liguei. E ainda mais quando viu o Gêmeo chorando
e pensou que eu tinha feito alguma coisa com ele.

Exemplo: Eu fiquei *brava* quando o Gêmeo não a corrigiu. (Acho que ele estava ocupado demais engolindo o choro. E a última coisa que vou fazer agora é corrigir a Mami em o que quer que seja.)

Exemplo: Nós duas estamos *bravas*. Ela já começou a ameaçar me mandar para a R.D. nas férias de inverno em vez de esperar até o verão. (A última coisa que preciso é irritá-la.)

Exemplo: Ela ficou tão *brava* que seu rosto inteiro tremeu, e ela começou a rezar baixinho e só apontou para o banheiro, e eu sabia que ela queria que eu fosse limpar.

Permissão

Quando Caridad liga mais tarde,
Mami fica ouvindo ela falar no telefone.
E embora a voz dela seja toda boazinha,
Mami não para de me olhar com a cara mais feia do mundo.

Por fim, ela diz: "*Está bien.*" O.k.
Posso ir com Caridad ao evento de poesia.
Mas só se o Gêmeo for também.

Eu penso que vai ser difícil convencê-lo.
Seus olhos estão tão inchados de chorar
que ele teve que mentir para os meus pais e dizer
que esfregou os olhos depois de um problema no laboratório de química.

Mas quando falo do evento hoje,
ele deve querer qualquer desculpa para não pensar em Cody,
porque logo concorda em ir com a gente.

Sexta-feira, 14 de dezembro

Noite de microfone aberto

O lendário Nuyorican Poets Cafe
não fica perto do Harlem.

A gente tem que pegar dois trens e caminhar
num frio de cair o cu para chegar, e quando chegamos,
a fila para entrar dá a volta no quarteirão.

Nem mesmo as boates em volta
parecem tão cheias assim.

O café tem uma luz fraca, pinturas nas paredes.
A anfitriã é uma negra escultural
com uma flor vermelha no cabelo.

Quando ela chama os nomes na lista,
me surpreendo ao ouvir o meu.

Inscrita

Caridad conta que me inscreveu para declamar,
e imediatamente minhas mãos começam a tremer.
Tenho que sair agora, agora mesmo.
Mas Caridad nem dá bola.
Ela só segura meu braço, e o Gêmeo me puxa
pelo outro.

"Você consegue, Xio."

Mas toda vez que alguém sobe no palco,
eu me comparo.
Meu poema vai causar
vaias ou aplausos da plateia?
E se ninguém aplaudir?

Alguns poetas são muito, muito bons.
Fazem o público rir,
me fazem quase chorar,
usam o corpo e o rosto,
e sabem bem como falar no microfone.

A anfitriã mantém o show seguindo,
e quando outra pessoa desce do palco, eu sei
que meu nome está subindo e subindo na lista, até
que sua voz límpida e clara chama "Xiomara".
E eu fico paralisada.

“Acho que ela está tímida, pessoal.
Alguém me contou que é a primeira vez dela declamando.
Vamos aplaudir, vamos aplaudir, vamos aplaudir
até ela subir no palco.”

E agora não só estou paralisada,
como também estou vermelha e suando
De alguma forma, fico de pé
e aí as luzes me acertam na cara
me fazendo piscar com força, e o café
que parecia tão pequeno antes, agora é como
um estádio cheio de gente.

Eu nunca presenciei um silêncio como este.
Cem pessoas esperando.
Me esperando falar.

E não acho que vou conseguir.
Minhas mãos estão tremendo demais,
e não consigo lembrar o primeiro verso do poema.
Meu cérebro é um branco imenso bocejando.
Meu coração martela no peito,
e eu procuro a saída mais próxima,
as escadas que levam ao palco...

O microfone está aberto

... e o primeiro verso surge.
Eu falo, minha voz trêmula.
Eu limpo a garganta.
Eu respiro fundo.
Eu começo o poema de novo.
Eu esqueço as comparações.
Eu esqueço o nervosismo.
Eu deixo as palavras preencherem o ar.
Eu deixo as palavras me levarem pra longe.

As pessoas observam. Escutam,
e quando termino
de declamar o poema que pratiquei
no espelho, elas aplaudem.
E o som é tão alto
que quero cobrir minhas orelhas,
cobrir meu rosto. Dois poetas
se apresentam depois de mim, mas não escuto
uma só palavra com o coração nos ouvidos.
Caridad aperta minha mão,
e o Gêmeo, parecendo feliz por um momento,
sussurra: "Você arrasou."

Mas é só quando estamos indo embora
que a anfitriã segura meu braço
e diz: "Você conseguiu.
Você deveria vir para a competição juvenil
que vou preparar em fevereiro.
Acho que vai ser bem forte."
E é aí que sei,
mal posso esperar para fazer isso de novo.

Convite

A competição de que a anfitriã fala
é a mesma que a Sra. Galiano
mencionou no clube de poesia.
E não sou do tipo que acredita que
"tudo é um sinal", ou sei lá,
mas quando tantas partes da minha vida
apontam todas para a mesma direção...
é difícil não seguir as setas.

Mesmo em casa,
minhas mãos ainda tremem.
E eu tento não parecer
tão emocionada quanto estou.

Pela primeira vez em muito tempo,
o Gêmeo não parece triste ou distraído.
Ele não para de olhar pra mim no quarto,
o rosto iluminado. "Xiomara, aquilo foi incrível."

Embora eu nunca tenha ficado bêbada ou drogada,
acho que deve ser essa a sensação:
desequilibrada, risonha, irreal.

Eu sei exatamente o que o Gêmeo quer dizer.
Porque muitos dos poemas de hoje
pareciam um pouco as nossas histórias.
Como se a gente tivesse visto e sido visto.
E não seria louco
se eu fizesse isso por alguém?

Domingo, 16 de dezembro

Animação ao máximo

O fim de semana todo eu revivo aquele dia
Sábado e domingo tenho que engolir minha animação.
Escrevo enquanto limpo.
Escrevo em vez de fazer meu dever.
Escrevo antes *e* depois da igreja no domingo.
Mal posso esperar pelo clube de poesia.
Subir no palco foi como uma prova de fogo;
me ajudou a ter coragem,
e mal posso esperar para contar sobre o Nuyo.

Tarde da noite eu escrevo, e
as páginas do caderno incham
com todas as palavras que gravei nelas.
É quase como se
quanto mais machuco as páginas,
mais rápido algo em mim se cura.

Terça-feira se tornou o meu equivalente
ao domingo de Mami. Meu grupo de oração.

Segunda-feira, 17 de dezembro

No intervalo de segunda

Eu vou para a sala de artes,
e Isabelle está lá com os fones
e um diário e um saco de Doritos.
Sento na mesa comprida em frente a ela
e abro meu caderno.

De repente, ela olha pra mim e tira
os fones imensos.
"Me diz o que você acha."

Ela começa a ler,
as mãos se agitando no ar.
Largo minha maçã pra me concentrar,
porque este parece um momento importante.

Quando ela termina, não olha pra mim.
E Isabelle não é do tipo que *não* olha pra alguém.
Eu não digo que é bom, embora seja.
Eu não digo que é lindo, embora seja também.

"Eu fiquei toda arrepiada", eu digo.
"Eu senti isso no coração", eu digo.
"Você tem que terminar", eu digo.

E quando ela sorri para mim,
eu sorrio de volta.

Terça-feira, 18 de dezembro

No clube de poesia

Eu conto a todo mundo que fui ao evento de poesia.

Eles ficam impressionados.
Me pedem detalhes.

Me dizem que querem ir também
na próxima vez que eu me apresentar.

E sinto uma agitação
quando Isabelle agarra minha mão e dá um gritinho.

Quando a Sra. Galiano sorri
como se estivesse orgulhosa de mim.

"Como você se saiu?" pergunta o Chris.
Dou de ombros. "Não fui péssima."

E todo mundo ri,
porque sabem que isso significa que eu fui ótima.

Todo dia depois da aula de inglês

A Sra. Galiano me pede para ler algo novo.
Com os cinco minutos que temos entre as aulas,
eu sei que tenho que escolher os melhores e mais curtos poemas.
Mas todo dia eu escolho algo novo, e já aprendi:
a ir devagar, a respirar, a acertar o ritmo, a mostrar emoção.

No último dia antes das férias,
a Sra. Galiano me diz que estou florescendo.

E penso no que isso significa:
ser um botão fechado, e se tornar aberto.
E embora seja clichê, também é perfeito.

Quando vejo Stephan no corredor,
ele me lê seu último haiku.
Quando vejo Chris no caminho para a estação,
ele sempre tem um sorriso para mim
e um "E aí, X! Escreveu alguma coisa nova?"

E eu sei que estou pronta para competir.
Que minha poesia se tornou algo de que me orgulho.
Da forma como as palavras dizem o que quero dizer,
como elas modificam e adaptam a linguagem,
como elas se conectam com as pessoas.

Eu finalmente sei que todos os
nunca, nunca, nunca
eram fruto do medo, mas nem mesmo eles
podem me impedir. Não mais.

Segunda-feira, 24 de dezembro

Véspera de Natal

Minha mãe não compra uma árvore de Natal.
Ela compra três bicos-de-papagaio,
e arruma as plantas em uma toalha de mesa vermelha
na janela da sala.

Noche Buena, a noite de Natal,
sempre foi um dos meus feriados preferidos.
Na TV, famílias de gente branca
abrem os presentes na manhã de Natal,
mas a maioria dos latinos celebra na noite anterior.

Durante o dia, Caridad passa aqui,
trazendo o famoso *coquito* da mãe,
com um toque de rum.
Jogamos videogames com o Gêmeo,
e trocamos cartões que fizemos para nós.

Mami sempre fez o Gêmeo e eu
irmos na Missa do Galo para celebrar a vinda do Menino Jesus,
e quando voltamos é quando podemos abrir os presentes.

Este ano, quando voltamos da igreja,
eu vou direto para o quarto.

Eu sei que não devo esperar nada.
Fico deitada na cama, com Chance the Rapper nos meus ouvidos,
quando vem uma batida na porta.
Eu olho, imaginando que é o Gêmeo tentando ser educado.
Mas não. Mami está parada ali.
Com uma caixinha embrulhada nas mãos.

Ela entra no quarto arrastando os pés, deixa o presente na mesa,
e como se não soubesse o que fazer com as mãos,
pega o casaco do Gêmeo da cadeira do computador
e dobra direitinho.
Quando ela senta, eu me levanto na cama sem saber o que fazer.

Mas, assim que ela senta, ela levanta,
indica o presente, e vai para a porta.
"Mandei trocar a corrente para você.
Sei o quanto você gosta de joias."

É um rosário

Eu penso antes de abrir a caixa.
Minha mãe não acredita
em outro tipo de enfeite.

Mas quando tiro a tampa,
vejo uma plaquinha dourada
com meu nome gravado,
uma corrente fina de ouro tornando
o bracelete completo.

E eu sei onde já vi
essa plaquinha antes.
Quando a viro,
me lembro.
Gravadas na parte de dentro
estão duas palavras em espanhol:
Mi Hija.

É o meu bracelete de bebê.
Mami deve ter guardado
esses anos todos.
Mas por que ela trocou a corrente agora
não faz sentido nenhum.

Eu apoio a corrente no meu pulso
e aperto o fecho.
Sua filha de um lado,
eu mesma do outro.

E sinto tantas coisas,
mas, principalmente, alívio por não ser um rosário.

Quarta-feira, 26 de dezembro — Terça-feira, 1º de janeiro

A semana mais longa

A semana depois do Natal é a mais longa da minha vida.
Eu escrevo e escrevo e leio poemas para o Gêmeo,
que ainda está afundado em sentimentos e se recusa
a falar comigo sobre Cody, mas vejo ele trocando mensagens
com Caridad,
que é a mais carinhosa de nós,
então, provavelmente é uma boa ideia.

Leio tanto os poemas e os edito tantas vezes
que começo a decorá-los por acidente,
até que minha cabeça fica cheia de palavras e histórias,
até que eu começo a praticar os poemas enquanto durmo.
E quanto mais escrevo, mais corajosa me sinto.

Eu escrevo sobre Mami, sobre me sentir uma formiga,
sobre garotos sempre tentando me cantar,
sobre Aman, sobre o Gêmeo. Às vezes, ainda estou acordada
escrevendo quando Mami se levanta muito cedo de manhã
para ir trabalhar. São tantas palavras que enchem meu caderno,
e mal posso esperar para espalhá-las.

Mas ainda falta uma semana antes da próxima reunião do clube.

Quarta-feira, 2 de janeiro

Jogo de espera

Por causa do Ano-novo,
as aulas só recomeçam na quarta.

Então, fico sem clube de poesia por um só dia.

Embora eu esteja decepcionada,
a semana a mais me dá tempo de escrever.

Isabelle e eu compartilhamos alguns poemas durante o intervalo.

E se encontro Stephan ou Chris nos corredores,
fazemos piada ou falamos de um poema novo.

Com o meu aniversário semana que vem,
percebo que este novo ano não começou tão mal.

Terça-feira, 8 de janeiro

Aniversários

No nosso aniversário, o Gêmeo e eu trocamos presentes de manhã
antes de irmos para a escola.

Eu comprei um quadrinho do Homem de Gelo.
Embora não seja o que ele compra normalmente,

o Gêmeo fica com lágrimas nos olhos quando vê.
O Homem de Gelo é um mutante supermaneiro,

e além disso é gay.
Eu abraço meu irmão meio sem jeito, e antes que ele se afaste:

"Eu não sei se te falei.
Mas estou do seu lado. Sempre."

O Gêmeo me abraça forte
e me entrega um embrulho.

Rasgo a fita e vejo uma capa de couro.
É outro caderno, muito parecido com o meu primeiro.

"Acabaram as ideias de presente?", brinco.

Ele balança a cabeça e indica o caderno antigo,
gordo e se desfazendo em cima da mesa da cozinha.

"Não, mas o antigo está tão cheio e sei que você ainda tem muita coisa a dizer."

A gente pega as coisas e caminha de braços dados até o trem. Hoje vai ser um bom dia.

O bom

Caridad deixou cinco mensagens de voz cantando "Parabéns
pra você".
É ridículo, e a voz dela é péssima,
mas eu dou risada toda vez. Com certeza ela quer chegar
a dezesseis até o fim do dia.

Quando vou guardar meu livro de biologia antes do intervalo,
um envelope cai no chão.
Dentro dele tem um recibo impresso de duas entradas
para uma plantação de macieiras ao norte do Bronx.

Só uma pessoa nesta escola sabe
o quanto eu amo maçãs. Aman.
Uma risada se desdobra na minha garganta e se estende até
meus lábios.

Quando chega a hora do clube de poesia,
estou flutuando, e Stephan me puxa para a sala,
Chris tira o boné e canta "Parabéns pra você" —
a versão do Stevie Wonder.

Isabelle me entrega um cupcake.
A Sra. Galiano pisca para mim.
Acho que vou lembrar deste aniversário pelo resto da minha
vida.

O mal

Quando começamos a ir um por um
lendo os poemas, abro a mochila.

Encontro o caderno novo que o Gêmeo me deu,
mas depois de procurar sem parar, percebo

que devo ter deixado o velho na mesa da cozinha.

Por um momento, me sinto mal:
com todos os poemas que escrevi nas férias,
nem tenho um para declamar.

Mas tento puxar da memória;
um dos meus favoritos
escorre pela minha língua,
como se eu tivesse planejado.

É gostoso declamar um novo poema.
E é gostoso ouvir
Chris, Stephan e Isabelle.

E quando finalmente olho pro relógio,
percebo que estou atrasada para a igreja.

Em algum momento, Mami vai descobrir
que não tenho ido às aulas de crisma.
Provavelmente quando a turma se crismar,
e eu não tiver mais desculpa para o clube de poesia.

Mas, por enquanto, vou continuar mentindo.
Só tenho que chegar na igreja antes que ela venha me esperar.

Pego a mochila correndo,
saio com um tchau apressado, incomum,
e fecho bem o casaco de inverno.

Pego o telefone para mandar uma mensagem rápida para Caridad,
e vejo que tenho duas ligações não atendidas.

A voz da minha mãe
gela meus ossos:

"*Te estoy esperando en casa.*"

Clique.

O feio

Estou sem fôlego quando chego em casa.
Vim correndo da estação, e meu rosto está ardendo.

Dou uma olhada para a mesa da cozinha antes de correr
para o meu quarto — meu caderno não está lá.

Mami está sentada na beirada da cama
com meu diário aninhado entre as mãos.

Quando ela olha para mim.
Sinto o sangue correr para o meu rosto.

Escuto um jogo de beisebol na sala,
mas sei que nem Papi nem o Gêmeo podem me salvar.

Minhas mãos pulsam para pegar o caderno dela,
mas não dou um passo além da porta.

Ela fala baixinho: "Você acha que não sei
inglês o suficiente para entender que você fala de meninos

e da igreja e de mim? Para entender todas essas coisas horríveis
que você pensa?"

Minha mãe sempre pareceu uma mulher grande
embora seja muito menor do que eu.

Neste momento em que ela cresce e se levanta,
eu me encolho diante de sua ira.

"Esses pensamentos que você tem, que você tenha escrito,
para as pessoas lerem... sem sentir culpa. Vergonha.

Que tipo de filha minha *é* você?"

Ela parece perdida. Como se eu tivesse tirado a âncora
da única coisa que a mantinha à tona.

Ela segura o caderno em uma das mãos,
e é aí que vejo a caixa de fósforos.

A caixa que sempre fica ao lado do fogão.
A que agora está em cima da minha cama.

Eu não sei como é uma crise de asma.
Mas deve ser algo assim:

como garras cortando seu peito
e roubando cada parte do ar, te deixando sem fôlego

e machucado antes mesmo que se saiba o que aconteceu;

ela acendeu o fósforo.

Me deixa explicar

Eu digo.
Que ninguém vê minhas palavras.
        Que são só meus pensamentos particulares.
Que escrevê-los me ajuda.
        Que são íntimos.
Que não era para ela nunca ler meus poemas.

Que sinto muito.
        Que sinto muito.
                Que sinto muito.

E estou enfiando as unhas no batente da porta.
    É a única coisa que me mantém de pé,

                                        que me mantém parada.

Minha raiva quer se tornar uma criatura
        com dentes e unhas mas eu a mantenho enjaulada
porque esta é minha mãe. E eu *sinto* mesmo.

Que ela tenha encontrado,   que eu tenha escrito,   que eu
    sequer tenha pensado que meus pensamentos eram meus.

Ela segura o fósforo aceso
                                        junto ao canto do caderno.

"Pega a lixeira, Xiomara.
Não quero sujeira no chão."

Se tua mão te fizer pecar

"Se tua mão te fizer pecar...
Se teu olho te fizer pecar...
Se este caderno, estas palavras, te fizerem pecar..."

O cheiro de couro queimado me move.
Eu salto da porta
e tento alcançar sua mão.
Centenas de poemas, eu penso.
Anos e anos de escrita.

Ela se vira antes que eu consiga segurar o caderno,
me dá uma cotovelada com força no peito.
Recita aquelas palavras sem parar.

"Se tua mão te fizer pecar...
Se teu olho te fizer pecar...
Se este caderno, estas palavras, te fizerem pecar..."

E pela primeira vez na minha vida
eu entendo a palavra *desesperada.*
É como uma fome incisiva na minha barriga.

Por favor. Por favor. Por favor.

Ela me mantém longe com o fósforo,
mas tento agarrar de novo,
e o caderno cai no chão, soltando fumaça.

Nós duas estendemos a mão para ele,
e bem quando meus dedos tocam a capa,
sentem a mulher bordada no couro,
minha mãe me dá um tapa na cara com força, e eu caio.

O bracelete do Natal se solta,
mas enquanto tento respirar perto da porta, o rosto ardendo,
só consigo ver as páginas queimando.

E enquanto ela recita as escrituras,
as palavras tropeçam da minha boca também,
todos os poemas e estrofes que decorei se derramam,
cada vez mais alto, fora de ordem,
até que estou gritando com toda a força,
apontando as palavras como armas do meu peito;
elas são a única coisa com que posso revidar.

Versos

"Eu estou onde marca o X,
Cheguei na batalha pronta, e..."

"Dios te salve, María,
llena eres de gracia;"

"Eu sou a indicação,
assino a mim mesma na linha pontilhada."

"el Señor es contigo;
bendita tú eres
entre todas las mujeres,"

"O X que sou
é um vestido de armadura
que visto a cada manhã."

"y bendito es el fruto
de tu vientre, Jesús."

"Meu nome é difícil de dizer,
e minhas mãos não são fáceis também.
Eu as ergo para construir
a igreja de mim mesma.
Este X sempre foi um sinal."

"Santa María, Madre de Dios,
ruega por nosotros, pecadores,
ahora y en la hora de nuestra muerte.
Amén."

Queimando

Mami me encara como se eu estivesse falando em línguas
e continua a rezar.

Somos mulheres loucas, atirando versos uma para a outra
como granadas em um campo de batalha, uma cacofonia de
poemas violentos...

e de repente estamos as duas sem fôlego, sem palavras.

Lágrimas correm pelo nosso rosto,
mas as minhas não são da fumaça.
A tosse enrola minha língua.
Eu nunca chorei por algo que morre
antes deste momento.

Eu não tenho mais poemas. Minha mente é um branco.
Um rugido rasga meus lábios.
"Queima! Pode queimar.
É aqui que os poemas estão", eu digo,
socando meu próprio peito.

"Você vai me queimar? Vai me queimar também?
Se pudesse, você faria isso, não é?"

Onde há fumaça

Não sei bem quando Papi e o Gêmeo chegaram,
mas sinto o Gêmeo correr por mim;
ele tenta pegar o caderno,
mas Mami rosna para ele ficar longe,
e pisa nas páginas crepitantes.

Papi está no quarto.
Ele fala baixinho com minha mãe,
repetindo seu nome sem parar.
"Altagracia, Altagracia."
Quando ele tenta pegar o caderno,
ela rosna para ele também,
mas ele é gentil com ela,
se aproximando de um pitbull raivoso,
ele se inclina e segura o caderno por um canto e puxa.

Quando ela solta, ele bate o bloco na parede,
tentando apagar o couro em chamas,
e grita para o Gêmeo pegar o extintor de incêndio.

É possível um cheiro ficar tatuado na sua memória?
É uma metáfora complicada, não?
Meu caderno está pegando fogo,
meu coração parece feito de cinzas,
e tudo em que consigo pensar são metáforas ruins.

Coisas em que você pensa na fração de segundos enquanto seu diário queima

Se eu estivesse em chamas,
com quem poderia contar
para me apagar?

Se eu fosse uma pilha de cinzas,
com quem poderia contar
para me recolher em um belo pote?

Se eu não fosse nada além de pó,
haveria quem perseguisse os ventos
tentando capturar cada pedaço de mim?

Outras coisas em que você pensa na fração de segundos enquanto seu diário queima

Eu nunca mais
vou escrever um só
poema
na vida.

Eu nunca mais
vou permitir que alguém
veja meu coração
e o destrua.

Minha mãe tenta me segurar

Papi tira o extintor de incêndio do Gêmeo
e apaga o fogo.
Minha mãe ainda está de pé no clarão,
mas enquanto a nuvem de produtos químicos se ergue entre nós,
meus joelhos sabem bem aonde ela vai me levar
no momento em que a poeira baixar.

Eu tropeço de volta ao corredor,
me levanto com esforço,
e me afasto das suas mãos.

Fico de pé, altiva.
E fico feliz por ainda estar
com meu casaco e minha mochila,
porque preciso ir.

Corro para a porta,
me viro, e vejo o Gêmeo segurando minha mãe.
Seu braço erguido   um machete
                    pronto para me cortar.

Desço as escadas dois degraus por vez.
E quando finalmente estou do lado de fora
eu respiro...

Não tenho aonde ir
nem nada que é meu.

Retorno

O Gêmeo começa a me mandar mensagens na hora.
Mas eu não respondo.

Quando finalmente respondo uma mensagem
é uma que recebi há dois meses.

X: Ei, Aman. Preciso conversar.
Você pode?

No caminho para o trem

Eu ligo para Caridad.
E ela atende cantando "Parabéns pra você",
mas se interrompe no meio.
"O que houve, Xio? Você tá chorando?"

Tudo o que falei foi "Oi".
Mas ela sabe pela minha voz
que meu mundo está em chamas.

Respiro fundo.
Ela me diz para passar lá.
Ela me diz que vai me encontrar.
Ela me pergunta do que preciso.

"Procura o Gêmeo.
Vê como ele está.
Eu só preciso respirar.
Eu só preciso sair."

Uma longa pausa.
E consigo imaginá-la assentindo
pelo telefone.

"Estou aqui se precisar.
Você vai dar um jeito."

E isso é suficiente.

O caminho

O trem para e anda
como uma velha tossindo.
Mas a minha confusão é tanta
quando entro, que o trem balançando
nem mesmo me faz piscar.

Quando saio no Heights,
começou a nevar pouquinho.
Ergo o rosto para o céu úmido.
Finjo que estou num filme
em que a natureza nos oferece alívio.
Mas só me sinto mais gelada.

Fico parada ali.
Sabendo que ele disse que viria.
Acreditando que ele virá.

Um arrepio no pescoço
é minha única dica,
e então sinto seu cheiro,
o perfume, uma nuvem
de tantas memórias
que nem pensei que tínhamos.

Os dedos de Aman buscam
os meus em silêncio.

Meu rosto ainda está aberto aos céus.
Aperto sua mão.

Sem olhar para trás

Aman me faz perguntas,
mas eu mal escuto.

A única coisa que sinto
é a quentura de sua pele.

Caminhamos para lugar nenhum por um tempo.
Até que percebo: Aman está tremendo.

Finalmente olho para ele.
Olho mesmo para ele.

O cabelo está molhado, os cílios,
com pingentes de gelo da neve,

e ele só está vestindo
um casaco fino.

Vejo seus calcanhares nus por baixo da calça —
ele deve ter saído de casa correndo, sem vestir as meias.

Eu puxo a mão dele e sussurro na sua bochecha fria:

"Você tá com frio. Vamos sair da friagem.
Você mora aqui por perto, né?"

E mesmo erguendo as suas sobrancelhas perfeitas,
não temos mais nada a dizer.

Cuidado

Durante a longa subida pelos cinco andares de escada,
tenho todo o tempo e silêncio para pensar.

Eu sei que o pai de Aman trabalha à noite.
Que à noite ele ouve música e faz o dever.

E quase dou uma risada.
Por todo o tempo que passamos juntos e felizes eu evitei vir aqui.

E agora que estou destruída e em pedaços,
abro caminho para a casa dele.

O sofá é macio. Marrom e fofo.
Sem capa plástica como o meu.

Não tiro o casaco. Nem a mochila.
Só encosto a cabeça para trás e fecho os olhos.

Ouço Aman se mexendo em volta de mim.

Um pé de mesa arranha o chão de madeira.
A porta da geladeira abre e fecha sem muito barulho.

Então, vem a música.
Mas não é J. Cole, como imaginei.

Não é hip-hop.
Em vez disso, são acordes de baixo e tambores de aço suaves.

Soca, acho, mas devagar e calmante.
Só quando Aman puxa meu sapato é que finalmente abro os olhos.

Ele está inclinado aos meus pés.
Olhando minhas meias descombinadas.

Depois, ele senta ao meu lado.
E finalmente começo a me sentir quente.

Ele não pergunta o que houve.
Mas a pergunta flutua como um balão no arco de suas sobrancelhas.

Então, eu falo para ele sobre todos os meus poemas,
minhas palavras, meus pensamentos, o único lugar

em que já fui eu por completo,
em chamas.

E a fumaça ainda deve estar presa no meu peito,
porque dói muito quando paro de falar.

Aman não diz uma palavra.
ele só me abraça.

Nos braços de Aman

Nos braços de Aman me sinto quente.

Nos braços de Aman me sinto segura.

Nos braços de Aman ele se desculpa.

Nos braços de Aman eu me desculpo.

Nos braços de Aman eu quero esquecer.

Nos braços de Aman minha boca encontra a dele.

Nos braços de Aman minhas mãos tocam sua pele.

Nos braços de Aman minha blusa desaparece.

Nos braços de Aman eu fico tímida por um momento.

Nos braços de Aman eu sou
b e l a b e l a
bela.

Nos braços de Aman eu me sinto
bela.

Nos braços de Aman minha calça
se abre.

Nos braços de Aman eu me
mostro.

Nos braços de Aman pele
nua toca a minha.

Nos braços de Aman beijos
e beijos. Meu pescoço, e
orelha.

Nos braços de Aman dedos
tocam meus seios.

Nos braços de Aman eu paro
de respirar.

Nos braços de Aman eu me sinto
bem. Tão bem.

E eu também sei

Que temos que parar.
Porque nos deitamos no sofá,
e ele está em cima de mim.

E seus beijos são muito gostosos,
tudo é muito gostoso.
Mas eu também estou sentindo ele me imprensando.
A parte dele que está dura.
E essa ainda é uma pergunta em aberto
para a qual não tenho resposta.

E quando ele toca minha coxa
e então sobe...

Eu sei por que as pessoas na ilha fazem saltos.
Por que elas pulam de precipícios para se sentir livres, para voar,
e como devem entrar em pânico por um segundo
quando oceano vem lhes abraçar.

Eu seguro a mão dele. Afasto meu rosto do seu beijo.
Ele está respirando com força. Ele ainda está me beijando com força.
Ele ainda está me imprensando. Com força.

"Temos que parar."

Enrolados

Às vezes uso uns cordões de três correntes bem longos.
E eu adoro. São como teias de aranha de ouro falso.
Mas são muito difíceis de guardar.

Da próxima vez que tento usá-los, eles sempre estão enrolados.
Sem início, sem fim, só nó atrás de nó.
É assim que me sinto no momento em que peço para Aman parar.

Como um imenso nó. Sinto: culpa, porque ele parece bem
frustrado. Sinto: calor e desejo. Sinto: vontade de chorar
porque tudo está tão confuso. E sinto

o pânico diminuir devagar, porque consigo pensar.
Só preciso de um momento, de calma,
para poder desfazer os nós dentro de mim.

O que acontece a seguir

Eu espero que ele me xingue
das coisas que sei que garotas ouvem nesse momento.

Eu me sento e seguro o sutiã junto ao peito,
sem lembrança de como ele saiu.

Quando seus dedos tocam minhas costas
meu corpo todo fica tenso. Esperando.

Mas ele só ajeita as alças
e prende o sutiã. Me entrega minha camisa.

Ficamos em silêncio enquanto me visto.
Espero que ele me passe minhas botas.

Que me aponte a porta.
Eu sei que é assim que funciona. Ou dá ou desce.

Então, levo um susto quando, em vez das botas,
ele me passa a sua blusa,

e quando olho pra ele, confusa,
ele usa a manga

para secar as lágrimas do meu rosto.

Existem palavras

Que precisam ser ditas,
mas não dizemos nenhuma delas.

Assistimos a trechos das Olimpíadas de Inverno no YouTube.
Ajudo Aman a fritar ovos e bananas.

Bebo refrigerante. Aman toma goles
da cerveja Carib do pai.

Em algum lugar da cidade de Nova York está tarde.
Mas na sala de Aman o tempo parou.

Estou cochilando, com as luzes baixas
e o ronronar do computador.

Com a respiração suave de Aman nos meus ouvidos,
penso em todas as primeiras vezes que dei a este dia,

e em todas as que escolhi guardar.
E este é um pensamento melhor

do que o que quer surgir
porque no fundo eu sei que

hoje tomei decisões
que nunca poderei desfazer.

Quarta-feira, 9 de janeiro

Enfrentando

Quando entro na aula de inglês no primeiro tempo,
a Sra. Galiano dá uma olhada para mim
e levanta da mesa, me chamando para o lado de fora.

Aman me ofereceu uma camiseta,
mas meus peitos ficaram muito apertados,
então estou usando a mesma roupa de ontem.
E pelo jeito que ela me olha,
eu sei que a Sra. Galiano sabe disso.

Mas ela não fala de roupas;
ela diz que ligou para a minha casa.

Que quando saí correndo do clube, ela ficou preocupada,
pegou o telefone na diretoria,
que falou com meu pai, que estava maluco,
que minha família toda não sabia onde eu estava.

Ela pergunta se liguei para casa.
Ela pergunta o que houve.
E meu peito pesa.

Porque não sei o que dizer.
Ela toca meu braço com a mão macia
e olho para o rosto de uma mulher
não muito mais velha do que eu,
uma mulher com sobrenome espanhol,

que ama livros e poesia,
que percebo pela primeira vez que é bonita,
que tem uma voz suave e ligou para a minha casa
porque ficou preocupada,
e as palavras fogem antes que eu possa impedi-las:

crisma, mentir sobre poesia, o milho,
o caderno queimando, sair de casa, dormir na casa do Aman.

Meu rosto está queimando, as palavras, rápidas demais,
e me pergunto sem parar por que estou falando isso tudo,
e se as pessoas estão olhando; mas não consigo parar
todas as palavras que prendi com tanta força,
e então, digo as palavras que nunca nem percebi que pensava:

"Eu odeio ela. Eu odeio ela. Eu odeio ela."

E falo isso sem parar junto ao peito da Sra. Galiano,
seus braços magros e corpo pequeno me abraçando com força.
E ela me diz sem parar:

"Só respira. Só respira.
Vai ficar tudo bem. Só respira."

"Você não precisa fazer nada que não queira fazer."

Então, eu respiro o ar
que não percebi que precisava.
Quando qualquer pessoa já me disse essas palavras?
Talvez só Aman, que nunca me forçou
a fumar, a beijar, a qualquer coisa.

Mas todo mundo só quer que eu faça:
Mami quer que eu seja uma mocinha direita.
Papi quer que eu seja ignorável e quieta.
Gêmeo e Caridad querem que eu seja boazinha, e não chame
atenção.
Deus só quer que eu me comporte para ter o direito de estar viva.

Mas e eu? E Xiomara?
Quando alguém já me disse
que eu tinha o direito de parar tudo
sem meus punhos, ou minha raiva,
só com simples palavras.

"Mas você tem que falar com a sua mãe.
Falar com ela mesmo. E você precisa descobrir
como fazer sua relação com ela funcionar."

O que eu digo para a Sra. Galiano depois que ela me passa um lenço

Tá bom.

Ir para casa

É uma das coisas mais difíceis que já fiz.
O dia todo fiquei distraída. Sem saber o que tinha que fazer.

Como tinha que fazer. As mãos tremendo com a ideia
do que vai acontecer quando eu entrar no apartamento.

Porque os ouvidos da minha mãe são à prova de som quando
se trata de mim.
O único a quem ela escuta é Deus.

Durante o intervalo, Isabelle não pergunta o que aconteceu,
ela só me passa o saco de Doritos.

Depois da aula de biologia, Aman esfrega minhas mãos trêmulas
quando saímos.
Seu toque gentil me aquece.

No último tempo, a Sra. Galiano vem até a sala de matemática
e me entrega um papel com o número do seu celular, caso eu
precise falar com ela depois.

Quando saio da escola, a mão de Aman na minha,
Caridad e o Gêmeo estão parados no portão.

E embora nenhum deles possa enfrentar Mami por mim,
eu sei que não estou só. E finalmente sei quem pode ajudar.

Aman, Gêmeo e Caridad

Eu apresento Aman ao Gêmeo e à Caridad,
e vamos todos andando até a estação.

Quero perguntar ao Gêmeo o que aconteceu
depois que fui embora ontem.

Mas eu não quero saber.

Dá pra ver pela sua cara cansada
que, seja o que for, não foi bom.

Ninguém fala por um tempão.

Caridad aperta minha mão e me pede para ligar mais tarde.
Aman beija minha testa e me diz "vai ficar tudo bem".

Quando o Gêmeo me vê olhando para ele,
abre um sorriso gentil.

E aí seus olhos se enchem de lágrimas.
No trem balançante, a gente se abraça também.

Intervenção divina

Faço uma parada
antes de ir para casa.
Porque sei que
ajuda vem
de maneiras misteriosas,
e vou precisar
de toda a ajuda que tiver.

De volta para casa

Na porta do apartamento, pego a chave,
mas não abro.
Ouço as duas pessoas atrás de mim respirarem.

Mami talvez ainda não esteja em casa.
Ainda tenho tempo de me acalmar.

Para repensar minha vida.
Mas quando abro a porta,
ela está ali. Parada na cozinha,
torcendo um pano de prato. Seus olhos estão vermelhos.

E ela parece pequena, muito pequena.
O Gêmeo aperta meu ombro
e fica atrás de mim.

Respiro fundo e ajeito os ombros.

"Mami, precisamos conversar.
E acho que precisamos de ajuda."

Dou um passo para o lado e deixo o padre Sean se espremer na cozinha.
Ele estica a mão para ela. "Altagracia."

E esta mulher que tanto temi,
esta mulher que foi tanto mãe quanto monstro,
o maior sol da minha vida...
uma luz tão forte que cega, que queima até o pavio...

ela se encolhe e começa a soluçar.

Um choro silencioso que sacode seu corpo todo.
E fico paralisada.

Antes de ir até ela.

Minha mãe e eu

Talvez nunca sejamos amigas.
Nunca vamos comprar um vestido de formatura juntas,
ou pintar as unhas uma da outra.

Minha mãe e eu
talvez nunca aprendamos
a dar e aceitar
desculpas da outra.
Talvez sejamos demais
o mesmo espelho.

Mas nossos braços sabem fazer
o que as palavras ainda não podem.
Nossos braços podem alcançar.
Podem abraçar.

Podem ensinar
a nos lembrar.

Que o amor pode ser um elástico:
que arrebenta se é puxado demais,
mas também é flexível o bastante
para abarcar as mais caóticas das massas.

Minha mãe não diz que sente.
Que me ama.
E espero que um dia essas palavras venham,
Mas, por enquanto, sua mão forte nas minhas costas,
seu toque no meu cabelo,
este pequeno momento de doçura.
É suficiente.

Quinta-feira, 24 de janeiro

Mais forte

Em biologia aprendemos sobre erosão.
Sobre como, com o tempo, um fiozinho de água
correndo pela mesma pedra por séculos
pode abrir uma montanha ao meio
pouco a pouco.

Nas semanas seguintes,
minha mãe e eu nos esforçamos para desfazer
algumas das coisas que construímos entre nós.
Encontramos o padre Sean uma vez por semana
e conversamos. Às vezes sobre nós.

Às vezes só sobre nosso dia.
Minha mãe começou a dar aulas de primeira comunhão,
e ela está mais feliz do que jamais a vi.
As crianças fazem ela rir, e ela fica animada
de ensinar algumas passagens, e eu lembro
que ela era assim comigo antes.

É uma lembrança doce que fica ainda mais doce quando,
na terceira conversa com o padre Sean,
ela me devolve o bracelete com meu nome,
o ouro soldado onde a corrente se partiu, mas ainda inteiro.
Às vezes o Gêmeo e Papi vêm para as sessões
com o padre Sean. O Gêmeo se remexe, desconfortável,
na cadeira. Eu sei que tem muita coisa que ele não diz.
Mas espero que um dia ele seja capaz de falar.

Papi, por incrível que pareça, adora falar. E, quando começa,
ele faz a gente rir, e quando estamos falando sobre ele
e sobre as coisas que ele fez que nos magoaram, ele não some.
Ele ouve.

Um dia, quando estamos indo embora, o padre Sean se vira
para mim,
e me preparo, com medo de que ele vá perguntar sobre a crisma,
e esse ainda é um vespeiro em que não quero mexer,
mas em vez disso ele diz:

"Gêmeo contou que você vai se apresentar em uma competição
de poesia.
Seu próprio ringue, hein?
Posso me considerar convidado?"

Treino para a competição

A Sra. Galiano não me deixou desistir.
Mesmo com tudo o que aconteceu,
ela disse que eu precisava me arriscar.

Então, pratiquei na frente do espelho
e no clube de poesia.

Embora eu tenha perdido muitos poemas,
e sinta uma dor toda vez que penso nisso,
também me orgulho de tudo o que lembro.
Estou tentando me convencer de que reescrever significa
que as palavras realmente importavam.

Eu preciso de um poema bem forte, e por mais que eu odeie
a ideia de ser julgada e comparada...
eu amo a ideia de ser ouvida.
(E, é claro, de ganhar.)

Mas a questão é que todos os meus poemas são pessoais.
Alguns dos outros poetas na competição,
eu sei que escrevem sobre política e escola.

Mas os meus? São sobre mim.
Sobre o Gêmeo e Papi, sobre Aman.
Sobre Mami.

Como posso dizer essas coisas na frente de estranhos?
O que acontece em casa fica em casa, certo?
"Errado", diz a Sra. Galiano.

Ela me diz que palavras dão às pessoas a permissão
de serem elas mesmas. E não são esses os poemas

que eu mais precisava ouvir?

A Sra. Galiano explica as cinco regras da competição:

1. Todos os poemas devem ter menos de três minutos

2. Todos os poemas devem ser trabalhos originais

3. Não são permitidos aparatos ou fantasias

4. Não é permitido se apresentar com outra pessoa no palco

5. Não é permitido usar um instrumento musical

As regras secretas da competição para Xiomara:

1. Não desmaie no palco

2. Não esqueça o poema no palco

3. Não engasgue ou faça besteira no palco

4. Não faça uma introdução ou dê explicações sobre o seu poema

5. Não saia do palco antes de terminar o poema

As regras verdadeiras da competição para o clube de poesia:

1. Se apresente com o coração

2. Lembre-se de por que você escreveu o poema

3. Use suas emoções

4. Diga ao público todas as coisas

5. Não faça merda

Sexta-feira, 1º de fevereiro

Justiça poética

Uma semana antes da competição,
o Gêmeo, Mami e Papi estão sentados no sofá.
Eu respiro fundo e tento não ficar nervosa.
Abro a boca

e silêncio.
Não consigo fazer isso. Não consigo declamar
na frente deles.

A sala parece pequena demais;
eles estão perto demais.
As palavras murcham e se escondem sob a língua.

O Gêmeo faz um gesto de incentivo,
mas dá pra ver que até ele está nervoso,
sem saber como nossos pais vão reagir.

Fecho os olhos
e sinto as primeiras palavras do poema
se desdobrarem

se expandirem na minha boca,
então, eu as liberto,
e as outras palavras as seguem.

A sala parece pequena demais,
todos os olhos em mim,
e dou um passo para trás

mas continuo encarando a parede,
o retrato da família
pendurado acima da cabeça do Papi.

Quando termino, o Gêmeo sorri.
Quando termino, Papi aplaude.
Quando termino, Mami inclina a cabeça

e diz:

"Use menos gestos,
E, da próxima vez,
en voz alta, Xiomara."

Sexta-feira, 8 de fevereiro

A tarde antes da competição

Aman e eu vamos ao parque.
Não digo que estou nervosa,
mas ele ainda assim segura minha mão,
coloca um fone no meu ouvido,
e toca Nicki Minaj.

Quando o disco acaba,
me levanto para ir embora,
mas ele puxa minha mão,
e me faz sentar no seu colo.

"Eu vou te esmagar!"

Ele sorri.
"Nunca, X. Tenho um presente pra você."

E eu vejo que o seu celular
saiu da tela
do iTunes para as Anotações.

Fico atordoada quando ele começa a
ler um poema pra mim.

É curto e não muito bom,
Mas, ainda assim, quase choro.

Porque, depois de todos os poemas
que escrevi para ele e para outros,
este é o primeiro poema que já escreveram para mim.

"Eu nunca vou ser um poeta tão bom quanto você, Poeta X,
e acredito que você é forte o bastante
para defender a si mesma e a mim ao mesmo tempo,

mas eu sempre vou estar do seu lado,
e eu sempre vou proteger seu coração."

E eu nunca ouvi nada
que merecesse mais que um dez.

Sexta-feira, 8 de fevereiro

Na Competição Municipal de Poesia de Nova York

Com a assistência da Sra. Galiano:
Com a ajuda do Gêmeo no treino:
Com um caderno novo em folha:
Com a inspiração de Aman (de J. Cole):
Com o YouTube e a aula de inglês:
Com Caridad segurando minha mão:
Com Mami e Papi na fileira da frente:
Com o padre Sean na plateia:
Com Isabelle e o clube comemorando:

Fico de pé no palco e declamo um poema.

eu deixo o poema se erguer do meu peito,
eu o entrego como um presente embrulhado,
eu declamo como se merecesse estar ali;
eu não vejo me aplaudirem de pé,
eu não vejo Caridad e Isabelle comemorando, ou
Aman e o Gêmeo chocando os punhos,
eu não vejo o padre Sean, de batina, sorrindo,
eu não vejo Papi dizendo às pessoas "*Esa es mi hija.*"
eu olho para Mami e assinto:

Há poder na palavra.

Comemore comigo

Depois da competição,
Mami e Papi convidam meus amigos,
e a Sra. Galiano e o padre Sean também.

Mami faz arroz com feijão
e pede pizza,
uma combinação estranha,
mas não vou reclamar.

Mami e Papi
não chamam Aman
de meu namorado,
mas deixam ele sentar no sofá.

Em certo momento,
Isabelle começa a tocar
bachata no celular,
e puxa Caridad para dançar com ela.

Ao meu lado,
vejo o Gêmeo acompanhando o ritmo
e fingindo não olhar para Stephan.
Aman começa a brincar de DJ no Spotify.

A Sra. Galiano e o padre Sean
começam a discutir sobre Floyd Mayweather,
e de repente sinto um toque
no meu ombro

e me viro e vejo Papi,
a mão estendida para mim,
esticando o braço,
me chamando para dançar.

"Eu deveria ter te ensinado
há muito tempo.
A dança é uma boa maneira
de dizer eu te amo a alguém."

Troco um olhar com Mami, na porta
da sala; ela sorri e diz:
"*Pa'lante, Xiomara.*
Que para atrás ni para coger impulso."

E ela tem toda a razão,
não darei mais passos para trás.
Então, sorrio para os dois,
e dou um passo à frente.

Trabalho — primeira e última versão

Xiomara Batista
Segunda-feira, 4 de março
Sra. Galiano
Explique sua citação favorita

"A explicação das tuas palavras ilumina;
dá discernimento aos inexperientes." — Salmos 119:130

Eu fui criada em uma casa de preces e silêncio, e embora Jesus pregue o amor, eu nem sempre me senti amada. O estranho sobre a Bíblia é que quase tudo nela é uma metáfora. Então, me parece que, quando a Bíblia descreve a igreja como um lugar onde duas pessoas discutem Deus, não se trata apenas das igrejas tipo catedrais. Não sei o que ou quem Deus é, ou onde está. Mas se tudo é uma metáfora, acho que ele ou ela é uma comparação conosco. Acho que somos todos como ou semelhantes a Deus.

Acho que quando nos reunimos e falamos sobre nós mesmos, sobre ser humano, sobre o que nos dói, também estamos falando sobre Deus. Então, isso também é igreja, certo? (Eu sei que isso pode parecer uma blasfêmia, mas meu padre me disse que TUDO BEM fazer perguntas... mesmo se elas parecerem bizarras.) E então, eu amo essa citação porque, embora não seja sobre poesia, ao mesmo tempo É sobre poesia. É sobre qualquer palavra que nos aproxima, e sobre como podemos criar um lar nas palavras. Não sei se algum dia serei tão religiosa quanto a minha mãe, ou tão devota quanto meu irmão e minha melhor amiga. Só sei que aprender a acreditar no poder das minhas próprias palavras foi a experiência mais libertadora da minha vida. Me trouxe mais luz do que tudo.

Agradecimentos

Escrever um livro pode ser um processo solitário, mas sou sortuda por ter tido a minha tribo para me manter firme e por perto enquanto eu tentava entender como contar esta história.

Ammi-Joan Paquette, você é a agente real oficial. Obrigada por torcer por mim da lateral do campo.

Eu fui mais que abençoada na vida pelos professores que tive. Destaco dois deles, especialmente. Phil Bildner, preciso te agradecer de novo. Você tem dito que as minhas palavras importam desde que tenho 12 anos e nunca deixou de me ajudar a brilhar. Este livro não existiria sem o seu incentivo. Abby Lublin, a Sociedade dos Poetas Mortos continua viva e agora vive aqui. Obrigada por não ter deixado uma adolescente cabeça-dura de 14 anos desistir da primeira competição de poesia da vida dela. Não é incrível ver o que um empurrãozinho pode fazer?

Para as minhas meninas: as Roomies, as Love Jones Girls e as Sigma Lambda Upsilon Hermanas (principalmente AG), vocês me ouviram falar desse livro por SÉCULOS mas nunca me zoaram como Stewie Griffin faz com Brian em Family Guy. Vocês são as verdadeiras MVPs.

Para Carid Andrea Santos, obrigada por me deixar pegar o seu nome emprestado. Por ter lido o primeiro manuscrito do livro e por ter me incitado a contar a história da nossa casa, da nossa família e da nossa infância. Obrigada por ser a minha melhor melhor amiga nos últimos 25 anos. E, mais importante, obrigada por sempre saber quando estou chorando sem que eu tenha que dizer qualquer palavra... e por me manter fofa.

Para minha família estendida, que sempre possamos celebrar juntos. Obrigada meus irmãos que me ajudaram a praticar os poemas e que me deixaram ficar com a luz do quarto acesa à noite para escrever. Obrigada a papai, por sempre dançar comigo na noite de natal e por me fazer rir. E o obrigada absolutamente mais especial para o meu primeiro amor, Mami Rosa Acevedo, que me levou à biblioteca toda semana, me ensinou a ler numa língua que ela mal falava e foi a todas as minhas competições de poesia; você rezou para que todas as coisas boas da minha vida acontecessem e rezou para se manter forte diante de todas as coisas ruins que aconteceram com você. Te amo.

Amado Shakir Amman Cannon-Moye, não consigo me lembrar de um sonho que eu tenha lhe contado sem que você acreditasse que eu poderia concretizá-lo. Inclusive este aqui. Você é um parceiro melhor do que eu poderia imaginar e um homem melhor do que eu conseguiria descrever em palavras.

Quero agradecer a todos os leais companheiros que seguiram a minha poesia desde o começo e que agora me seguem nesta nova jornada. Isso é para vocês.

Ancestrais: vocês cruzaram as turbulentas águas/ & águas & águas/ & do outro lado/ ainda engasgando/ seu fôlego/ sonharam conosco/ livres das ondas/ & nos levantamos/ por causa de vocês/ por vocês.

Este livro foi composto na tipografia Adobe
Garamond Pro, em corpo 12/16, e impresso em
papel off-white no Sistema Cameron da
Divisão Gráfica da Distribuidora Record.